孙犁 著

故事和书

生活·读书·新知 三联书店

写
在
前
面

　　孙犁（1913—2002），原名孙树勋，曾用笔名芸夫，河北省安平县孙遥城村人。1933 年毕业于保定育德中学。1937 年在安新县同口镇小学做教师，1939 年后参加抗日工作，曾任冀中抗战学院、华北联合大学、延安鲁迅艺术学院教员和晋察冀通讯社、晋察冀边区文联、晋察冀日报社编辑。1949 年以后在《天津日报》工作，曾任天津作家协会主席和中国作家协会名誉副主席。1927 年开始文学创作。"文革"前出版有短篇小说和散文合集《白洋淀纪事》、长篇小说《风云初记》、中篇小说《铁木前传》等；1977 年后写了大量作品，主要是散文，结集为《晚华集》、《尺泽集》、《无为集》、《曲终集》等十种。

孙犁的创作生涯长达六十多年，以"文革"为界，分为风格不同的前后期。前期作品明净柔美，以淡笔勾勒出如画的乡土民风，被称之为"诗体小说"，代表作是《荷花淀》、《芦花荡》、《铁木前传》等，模仿者很多；后期作品趋于平淡简洁，明显继承了中国古典的精髓，于平淡之中深蕴着文化和人生的思考，代表作如《芸斋小说》、《报纸的故事》、《书的梦》以及大量的读书笔记等。之所以会发生这样的变化，首先是他经历了 1956 年到 1966 年的大病（神经衰弱）和十年"文革"的大起大落，他自称为："十年荒于疾病，十年废于遭逢"；其次是在这二十年间，他读了大量古代典籍，深受影响。

年轻时，孙犁主要读新书；从大病以后，新书就读得少了。他买旧书，读旧书，并且认为，读中国古书是利于养生的。"文革"后期，孙犁在家无事，利用所得废纸，一本一本整理、包装被"抄走"后又发还的旧书，一边整理，一边阅读，以消磨时日，排遣积郁。在整理、阅读的基础上，自 1980 年起，他开始写《耕堂读书记》。这些文章不乏真知灼见，观点一针见血，时有借古说今，且兼具文字之美，在中国当代文学中独树一帜。

《芸斋小说》三十五篇，多记"文革"中事。晚年，他送人书，一本《风云初记》，一本《芸斋小说》。他认为，这两部小说中记录了他一生中最重要的两个时期。

孙犁晚年的文章特别讲求章法，讲究起、承、转、合。语言的锤炼，是孙犁晚年作品的巨大魅力之所在。他为自己找到了一种恰当、美妙的叙述方式。他以叙述的方式描写，以叙述的方式议论，以叙述的方式抒情，总是那样从容、矜持、高雅，表现出很高的修养。很多人读孙犁的作品，都是首先被他的语言所吸引。

　　本书文章全部选自孙犁晚年出版的十种集子，大致分为往事回忆、芸斋小说、关于读书和文事、读书笔记四部分，约可展现孙犁后期创作的特点和魅力。

生活·读书·新知 三联书店编辑部

2009 年 12 月

目
录

报纸的故事

一九三五年的春季，我失业家居。在外面读书看报惯了，忽然想订一份报纸看看。这在当时确实近于一种幻想，因为我的村庄，非常小又非常偏僻，文化教育也很落后。例如村里虽然有一所小学校，历来就没有想到订一份报纸。村公所就更谈不上了。而且，我想要订的还不是一种小报，是想要订一份大报，当时有名的《大公报》。这种报纸，我们的县城，是否有人订阅，我不敢断言，但我敢说，我们这个区，即子文镇上是没人订阅过的。

我在北京住过，在保定学习过，都是看的《大公报》。现在我失业了，住在一个小村庄，我还想看这份报纸。我认为这是一份严肃的报纸，是一些有学问的，有事业心的，有责任感的人，编辑的报纸。至于当时也是北方出版的报纸，例如《益世报》、《庸报》，都是不学无术的失意政客们办的，我是不屑一顾的。

我认为《大公报》上的文章好。它的社论是有名的，我在中学时，老师经常选来给我们当课文讲。通讯也好，有长江等人写的地方通讯，还有赵望云的风俗画。最吸引我的还是它的副刊，它有一个文艺副刊，是沈从文编辑的，经常登载青年作家的小说和散文。还有小公园，还有艺术副刊。

说实在的，我是想在失业之时，给《大公报》投投稿，而投了稿子去，又看不到报纸，这是使人苦恼的。因此，我异想天开地想订一份《大公报》。

我首先，把这个意图和我结婚不久的妻子说了说。以下是我们的对话实录：

"我想订份报纸。"

"订那个干什么？"

"我在家里闲着很闷，想看看报。"

"你去订吧。"

"我没有钱。"

"要多少钱？"

"订一月，要三块钱。"

"啊！"

"你能不能借给我三块钱？"

"你花钱应该向咱爹去要，我哪里来的钱？"

谈话就这样中断了。这很难说是愉快，还是不愉快，但是我不能再往下说了。因为我的自尊心，确实受了一点损伤。是啊，我失业在家里呆着，这证明书就是已经白念了。白念了，就安心在家里种地过日子吧，还要订报。特别是最后这一句："我哪里来的钱？"这对于作为男子汉大丈夫的我，确实是千钧之重的责难之词！

其实，我知道她还是有些钱的，作个最保守的估计，她可能有十五元钱。当然她这十五元钱，也是来之不易的。是在我们结婚的大喜之日，她的"拜钱"。每个长辈，赏给她一元钱，或者几毛钱，她都要拜三拜，叩三叩。你计算一下，十五元钱，她一共要起来跪下，跪下起来多少次啊。

她把这些钱，包在一个红布小包里，放在立柜顶上的陪嫁大箱里，箱子落了锁。每年春节闲暇的时候，她就取出来，在手里数一数，然后再包好放进去。

在妻子面前碰了钉子，我只好硬着头皮去向父亲要，父亲沉吟了一下说：

"订一份《小实报》不行吗？"

我对书籍、报章，欣赏的起点很高，向来是取法乎上的。《小实报》是北平出版的一种低级市民小报，属于我不屑一顾之类。我没有说话，就退出来了。

父亲还是爱子心切，晚上看见我，就说：

"愿意订就订一个月看看吧，集晌多粜一斗麦子也就是了。长了可订不起。"

在镇上集日那天，父亲给了我三块钱，我转手交给邮政代办所，汇到天津去。同时还寄去两篇稿子。我原以为报纸也像取信一样，要走三里路来自取的，过了不久，居然有一个专人，骑着自行车来给我送报了，这三块钱花得真是气派。他每隔三天，就骑着车子，从县城来到这个小村，然后又通过弯弯曲曲的，两旁都是黄土围墙的小胡同，送到我家那个堆满柴草农具的小院，把报纸交到我的手里。上下打量我两眼，就转身骑上车走了。

我坐在柴草上，读着报纸。先读社论，然后是通讯、地方版、国际版、副刊，甚至广告、行情，都一字不漏地读过以后，才珍重地把报纸叠好，放到屋里去。

我的妻子，好像是因为没有借给我钱，有些过意不去，对于报纸一事，从来也不闻不问。只有一次，带着略有嘲弄的神情，问道：

"有了吗？"

"有了什么？"

"你写的那个。"

"还没有。"我说。其实我知道，她从心里是断定不会有的。

直到一个月的报纸看完，我的稿子也没有登出来，证实了她的想法。

这一年夏天雨水大，我们住的屋子，结婚时裱糊过的顶棚、壁纸，都脱落了。别人家，都是到集上去买旧报纸，重新糊一下。那时日本侵略中国，无微不至，他们的旧报，如《朝日新闻》、《读卖新闻》，都倾销到这偏僻的乡村来了。妻子和我商议，我们是不是也把屋子糊一下，就用我那些报纸，她说：

"你已经看过好多遍了，老看还有什么意思？这样我们就可以省下块数来钱，你订报的钱，也算没有白花。"

我听她讲的很有道理，我们就开始裱糊房屋了，因为这是我们的幸福的窝巢呀。妻刷糨糊我糊墙。我把报纸按日期排列起来，把有社论和副刊的一面，糊在外面，把广告部分糊在顶棚上。

这样，在天气晴朗，或是下雨刮风不能出门的日子里，我就可以脱去鞋子，上到炕上，或仰或卧，或立或坐，重新阅读我所喜爱的文章了。

一九八二年二月九日

母亲的记忆

母亲生了七个孩子，只养活了我一个。一年，农村闹瘟疫，一个月里，她死了三个孩子。爷爷对母亲说：

"心里想不开，人就会疯了。你出去和人们斗斗纸牌吧！"

后来，母亲就养成了春冬两闲和妇女们斗牌的习惯；并且常对家里人说：

"这是你爷爷吩咐下来的，你们不要管我。"

麦秋两季，母亲为地里的庄稼，像疯了似的劳动。她每天一听见鸡叫就到地里去，帮着收割、打场。每天很晚才回到家里来。她的身上都是土，头发上是柴草。蓝布衣裤汗湿得泛起一层白碱，她总是撩起褂子的大襟，抹去脸上的汗水。她的口号是："争秋夺麦！""养兵千日，用兵一时！"一家人谁也别想偷懒。

我生下来，就没有奶吃。母亲把馍馍晾干了，再粉碎煮成糊喂我。我多病，每逢病了，夜间，母亲总是放一碗清水在窗台上，祷告过往的神灵。母亲对人说："我这个孩子，是不会孝顺的，因为他是我烧香还愿，从庙里求来的。"

　　家境小康以后，母亲对于村中的孤苦饥寒，尽力周济，对于过往的人，凡有求于她，无不热心相帮。有两个远村的尼姑，每年麦秋收成后，总到我们家化缘。母亲除给她们很多粮食外，还常留她们食宿。我记得有一个年轻的尼姑，长得眉清目秀。冬天住在我家，她怀揣一个蝈蝈葫芦，夜里叫得很好听，我很想要。第二天清早，母亲告诉她，小尼姑就把蝈蝈送给我了。

　　抗日战争时，村庄附近，敌人安上了炮楼。一年春天，我从远处回来，不敢到家里去，绕到村边的场院小屋里。母亲听说了，高兴得不知给孩子什么好。家里有一棵月季，父亲养了一春天，刚开了一朵大花，她折下就给我送去了。父亲很心痛，母亲笑着说："我说为什么这朵花，早也不开，晚也不开，今天忽然开了呢，因为我的儿子回来，它要先给我报个信儿！"

　　一九五六年，我在天津，得了大病，要到外地去疗养。那时母亲已经八十多岁，当我走出屋来，她站在廊子里，对我说：

"别人病了往家里走，你怎么病了往外走呢！"

这是我同母亲的永诀。我在外养病期间，母亲去世了，享年八十四岁。

一九八二年十二月

父亲的记忆

父亲十六岁到安国县（原先叫祁州）学徒，是招赘在本村的一位姓吴的山西人介绍去的。这家店铺的字号叫永吉昌，东家是安国县北段村张姓。

店铺在城里石牌坊南。门前有一棵空心的老槐树。前院是柜房，后院是作坊——榨油和轧棉花。

我从十二岁到安国上学，就常常吃住在这里。每天掌灯以后，父亲坐在柜房的太师椅上，看着学徒们打算盘。管账的先生念着账本，人们跟着打，十来个算盘同时响，那声音是很整齐很清脆的。打了一通，学徒们报了结数，先生把数字记下来，说：去了。人们扫清算盘，又聚精会神地听着。

在这个时候，父亲总是坐在远离灯光的角落里，默默地抽着旱烟。

我后来听说，父亲也是先熬到先生这一席位，念了十几年账本，然后才当上了掌柜的。

夜晚，父亲睡在库房。那是放钱的地方，我很少进去，偶尔从撩起的门帘缝望进去，里面是很暗的。父亲就在这个地方，睡了二十几年，我是跟学徒们睡在一起的。

　　父亲是一九三七年，七七事变以后离开这家店铺的，那时兵荒马乱，东家也换了年轻一代人，不愿再经营这种传统的老式的买卖，要改营百货。父亲守旧，意见不合，等于是被辞退了。

　　父亲在那里，整整工作了四十年。每年回一次家，过一个正月十五。先是步行，后来骑驴，再后来是由叔父用牛车接送。我小的时候，常同父亲坐这个牛车。父亲很礼貌，总是在出城以后才上车，路过每个村庄，总是先下来，和街上的人打招呼，人们都称他为孙掌柜。

　　父亲好写字。那时学生意，一是练字，一是练算盘。学徒三年，一般的字就写得很可以了。人家都说父亲的字写得好，连母亲也这样说。他到天津做买卖时，买了一些旧字帖和破对联，拿回家来叫我临摹，父亲也很爱字画，也有一些收藏，都是很平常的作品。

　　抗战胜利后，我回到家里，看到父亲的身体很衰弱。这些年闹日本，父亲带着一家人，东逃西奔，饭食也跟不上。父亲在店铺中吃惯了，在家过日子，舍不得吃些好的，进入老年，身体就不行了。见我回来了，父亲很高兴。有一天晚上，一家人坐在炕上闲话，我絮絮叨叨地说我在外面受了多少苦，担了多少惊。父亲忽然不高兴起来，说："在家里，也不容易！"回到自己屋里，妻抱怨说："你应该先说爹这些年不容易！"

那时农村实行合理负担，富裕人家要买公债，又遇上荒年，父亲不愿卖地，地是他的性命所在，不能从他手里卖去分毫。他先是动员家里人卖去首饰、衣服、家具，然后又步行到安国县老东家那里，求讨来一批钱，支持过去。他以为这样做很合理，对我详细地描述了他那时的心情和境遇，我只能默默地听着。

父亲是一九四七年五月去世的。春播时，他去旁耧，出了汗，回来就发烧，一病不起。立增叔到河间，把我叫回来。我到地委机关，请来一位医生，医术和药物都不好，没有什么效果。

父亲去世以后，我才感到有了家庭负担。我旧的观念很重，想给父亲立个碑，至少安个墓志。我和一位搞美术的同志，到店子头去看了一次石料，还求陈肇同志给撰写了一篇很简短的碑文。不久就土地改革了，一切无从谈起。

父亲对我很慈爱，从来没有打骂过我。到保定上学，是父亲送去的。他很希望我能成材，后来虽然有些失望，也只是存在心里，没有当面斥责过我。在我教书时，父亲对我说:"你能每年交我一个长工钱,我就满足了。"我连这一点也没有做到。

父亲对给他介绍工作的姓吴的老头,一直很尊敬。那老头后来过得很不如人,每逢我们家做些像样的饭食,父亲总是把他请来,让在正座。老头总是一边吃,一边用山西口音说:"我吃太多呀,我吃太多呀!"

一九八四年四月二十七日
上午寒流到来,夜雨泥浆

亡人逸事

一

旧式婚姻，过去叫作"天作之合"，是非常偶然的。据亡妻言，她十九岁那年，夏季一个下雨天，她父亲在临街的梢门洞里闲坐，从东面来了两个妇女，是说媒为业的，被雨淋湿了衣服。她父亲认识其中的一个，就让她们到梢门下避避雨再走，随便问道：

"给谁家说亲去来？"

"东头崔家。"

"给哪村说的？"

"东辽城。崔家的姑娘不大般配，恐怕成不了。"

"男方是怎么个人家？"

媒人简单介绍了一下，就笑着问：

"你家二姑娘怎样？不愿意寻吧？"

"怎么不愿意。你们就去给说说吧，我也打听打听。"

她父亲回答得很爽快。

就这样，经过媒人来回跑了几趟，亲事竟然说成了。结婚以后，她跟我学认字，我们的洞房喜联横批，就是"天作之合"四个字。她点头笑着说：

"真不假，什么事都是天定的。假如不是下雨，我就到不了你家里来！"

二

虽然是封建婚姻，第一次见面却是在结婚之前。定婚后，她们村里唱大戏，我正好放假在家里。她们村有我的一个远房姑姑，特意来叫我去看戏，说是可以相相媳妇。开戏的那天，我去了，姑姑在戏台下等我。她拉着我的手，走到一条长板凳跟前。板凳上，并排站着三个大姑娘，都穿得花枝招展，留着大辫子。姑姑叫着我的名字，说：

"你就在这里看吧，散了戏，我来叫你家去吃饭。"

姑姑的话还没有说完，我看见站在板凳中间的那个姑娘，用力盯了我一眼，从板凳上跳下来，走到照棚外面，钻进了一辆轿车。那时姑娘们出来看戏，虽在本村，也是套车送到台下，然后再搬着带来的板凳，到照棚下面看戏的。

结婚以后，姑姑总是拿这件事和她开玩笑，她也总是说姑姑会出坏道儿。

她礼教观念很重。结婚已经好多年，有一次我路过她家，想叫她跟我一同回家去。她严肃地说：

"你明天叫车来接我吧，我不能这样跟着你走。"我只好一个人走了。

三

她在娘家，因为是小闺女，娇惯一些，从小只会做些针线活；没有下场下地劳动过。到了我们家，我母亲好下地劳动，尤其好打早起，麦秋两季，听见鸡叫，就叫起她来做饭。又没个钟表，有时饭做熟了，天还不亮。她颇以为苦。回到娘家，曾向她父亲哭诉。她父亲问：

"婆婆叫你早起，她也起来吗？"

"她比我起得更早。还说心疼我，让我多睡了会儿哩！"

"那你还哭什么呢？"

我母亲知道她没有力气，常对她说：

"人的力气是使出来的，要伸懒筋。"

有一天，母亲带她到场院去摘北瓜，摘了满满一大筐。

母亲问她：

"试试，看你背得动吗？"

她弯下腰，挎好筐系猛一立，因为北瓜太重，把她弄了个后仰，沾了满身土，北瓜也滚了满地。她站起来哭了。母亲倒笑了，自己把北瓜一个个捡起来，背到家里去了。

我们那村庄，自古以来兴织布，她不会。后来孩子多了，穿衣困难，她就下决心学。从纺线到织布，都学会了。我从外面回来，看到她两个大拇指，都因为推机杼，顶得变了形，又粗、又短，指甲也短了。

后来，因为闹日本，家境越来越不好，我又不在家，她带着孩子们下场下地。到了集日，自己去卖线卖布。有时和大女儿轮换着背上二斗高粱，走三里路，到集上去粜卖。从来没有对我叫过苦。

几个孩子，也都是她在战争的年月里，一手拉扯成人长大的。农村少医药，我们十二岁的长子，竟以盲肠炎不治死亡。每逢孩子发烧，她总是整夜抱着，来回在炕下走。在她生前，我曾对孩子们说：

"我对你们，没负什么责任。母亲把你们弄大，可不容易，你们应该记着。"

四

一位老朋友、老邻居，近几年来，屡次建议我写写"大嫂"。因为他觉得她待我太好，帮助太大了。老朋友说：

"她在生活上，对你的照顾，自不待言。在文字工作上的帮助，我看也不小。可以看出，你曾多次借用她的形象，写进你的小说。至于语言，你自己承认，她是你的第二源泉。当然，她瞑目之时，冰连地结，人事皆非，言念必不及此，别人也不会作此要求。但目前情况不同，文章一事，除重大题材外，也允许记些私事。你年事已高，如果仓促有所不讳，你不觉得是个遗憾吗？"

我唯唯，但一直拖延着没有写。这是因为，虽然我们结婚很早，但正像古人常说的：相聚之日少，分离之日多；欢乐之时少，相对愁叹之时多耳。我们的青春，在战争年代中抛掷了。以后，家庭及我，又多遭变故，直至最后她的死亡。我衰年多病，实在不愿再去回顾这些。但目前也出现一些异象：过去，青春两地，一别数年，求一梦而不可得。今老年孤处，四壁生寒，却几乎每晚梦见她，想摆脱也做不到。按照迷信的说法，这可能是地下相会之期，已经不远了。因此，选择一些不太使人感伤的片断，记述如上。已散见于其他文字中者，不再重复。就是这样的文字，我也写不下去了。

我们结婚四十年，我有许多事情，对不起她，可以说她没有一件事情是对不起我的。在夫妻的情分上，我做得很差。正因为如此，她对我们之间的恩爱，记忆很深。我在北平当小职员时，曾经买过两丈花布，直接寄至她家。临终之前，她还向我提起这一件小事，问道：

"你那时为什么把布寄到我娘家去啊?"

我说：

"为的是叫你做衣服方便呀!"

她闭上眼睛，久病的脸上，展现了一丝幸福的笑容。

一九八二年二月十二日晚

书的梦

到市场买东西，也不容易。一要身强体壮，二要心胸宽阔。因为种种原因，我足不入市，已经有很多年了。这当然是因为有人帮忙，去购置那些生活用品。夜晚多梦，在梦里却常常进入市场。在喧嚣拥挤的人群中，我无视一切，直奔那卖书的地方。

远远望去，破旧的书床上好像放着几种旧杂志或旧字帖。顾客稀少，主人态度也很和蔼。但到那里定睛一看，却往往令人失望，毫无所得。

按照弗洛伊德的学说，这种梦境，实际上是幼年或青年时代，残存在大脑皮质上的一种印象的再现。

是的，我梦到的常常是农村的集市景象：在小镇的长街上，有很多卖农具的，卖吃食的，其中偶尔有卖旧书的摊贩。或者，在杂乱放在地下的旧货中间，有几本旧书，它们对我最富有诱惑的力量。

这是因为，在童年时代，常常在集市或庙会上，去光顾那些出售小书的摊贩。他们出卖各种石印的小说、唱本。有时，在戏台附近，还会遇到陈列在地下的，可以白白拿走的，宣传耶稣教义的各种圣徒的小传。

在保定上学的时候，天华市场有两家小书铺，出卖一些新书。在大街上，有一种当时叫作"一折八扣"的廉价书，那是新旧内容的书都有的，印刷当然很劣。

有一回，在紫河套的地摊上，买到一部姚鼐编的《古文辞类纂》，是商务印书馆的铅印大字本，花了一圆大洋，这在我是破天荒的慷慨之举。又买了二尺花布，拿到一家裱画铺去做了一个书套。但保定大街上，就有商务印书馆的分馆，到里面买一部这种新书，所费也不过如此，才知道上了当。

后来又在紫河套买了一本大字的夏曾佑撰写的《中国历史教科书》（就是后来的《中国古代史》），也是商务排印的大字本，共两册。

最后一次逛紫河套，是一九五二年。我路过保定，远千里同志陪我到"马号"吃了一顿童年时爱吃的小馆，又看了"列国"古迹，然后到紫河套。在一家收旧纸的店铺里，远买了一部石印的《李太白集》。这部书，在远去世后，我在他的夫人于雁军同志那里还看见过。

中学毕业以后，我在北平流浪着。后来，在北平市政府当了一名书记。这个书记，是当时公务人员中最低的职位，专事抄写，是一种雇员，随时可以解职的，每月有二十元薪金。在那里，我第一次见到了旧官场、旧衙门的景象。那地方倒很好，后门正好对着北平图书馆。我正在青年，富于幻想，很不习惯这种职业。我常常到图书馆去看书。到北新桥、西单商场、西四牌楼、宣武门外去逛旧书摊。那时买书，是节衣缩食，所购完全是革命的书。我记得买过六期《文学月报》，五期《北斗》杂志，还有其他一些革命文艺期刊，如《奔流》、《萌芽》、《拓荒者》、《世界文化》等。有时就带上这些刊物去"上衙门"。我住在石驸马大街附近，东太平街天仙庵公寓，那里的一位老工友，见我出门，就如此恭维。好在科里都是一些混饭吃、不读书的人，也没人过问。

我们办公的地方，是在一个小偏院的西房。这个屋子里最高的职位，是一名办事员，姓贺。他的办公桌摆在靠窗的地方，而且也只有他的桌子上有块玻璃板。他的对面也是一位办事员，姓李，好像和市长有些瓜葛，人比较文雅。家就住在府右街，他结婚的时候，我随礼去过。

我的办公桌放在西墙的角落里，其实那只是一张破旧的板桌，根本不是办公用的，桌子上也没有任何文具，只堆放着一些杂物。桌子两旁，放了两条破板凳，我对面坐着一位姓方的青年，是破落户子弟。他写得一手好字，只是染上了严重的嗜好。整天坐在那里打盹，睡醒了就和我开句玩笑。

那位贺办事员，好像是南方人，一上班嘴里的话是不断的，他装出领袖群伦的模样，对谁也不冷淡。他见我好看小说，就说他认识张恨水的内弟。

很久我没有事干，也没人分配给我工作。同屋有位姓石的山东人，为人诚实，他告诉我，这种情况并不好，等科长来考勤，对我很不利。他比较老于官场，他说，这是因为朝中无人的缘故。我那时不知此中的利害，还是把书本摆在那里看。

我们这个科是管市民建筑的。市民要修房建房，必须请这里的技术员，去丈量地基，绘制蓝图，看有没有侵占房基线。然后在窗口那里领照。

我们科的一位股长，是一个胖子，穿着蓝绸长衫，和下僚谈话的时候，老是把一只手托在长衫的前襟下面，做撩袍端带的姿态。他当然不会和我说话的。

有一次，我写了一个请假条寄给他。我虽然看过《酬世大观》，在中学也读过陈子展的《应用文》，高中时的国文老师，还常常把他替要人们拟的公文，发给我们当作教材。但我终于在应用时把"等因奉此"的程式用错了。听姓石的说，股长曾拿到我们屋里，朗诵取笑。股长有一个干儿，并不在我们屋里上班，却常常到我们屋里瞎串。这是一个典型的京华恶少，政界小人。他也好把一只手托在长衫下面，不过他的长衫，不是绸的，而是蓝布，并且旧了。有一天，他又拿那件事开我的玩笑，激怒了我，我当场把他痛骂一顿，他就满脸赔笑地走了。

当时我血气方刚，正是一语不合拔剑而起的时候，更何况初入社会，就到了这样一处地方，满腹怨气，无处发作，就对他来了。

我是由志成中学的体育教师介绍到那里工作的。他是当时北方的体育明星，娶了一位宦门小姐。他的外兄是工务局的局长。所以说，我官职虽小，来头还算可以。不到一年，这位局长下台，再加上其他原因，我也就"另候任用"了。

我被免职以后，同事们照例是在东来顺吃一次火锅，然后到娱乐场所玩玩。和我一同免职的，还有一位家在北平附近的人，脸上有些麻子，忘记了他的姓。他是做外勤的，他的为人和他的破旧自行车上的装备，给人一种商人小贩的印象，失业对他是沉重的打击。走在街上，他悄悄地对我说：

"孙兄，你是公子哥儿吧，怎么你一点也不在乎呀！"

我没有回答。我想说：我的精神支柱是书本，他当然是不能领会的。其实，精神支柱也不可靠，我所以不在意，是因为这个职位，实在不值得留恋。另外，我只身一人，这里没有家口，实在不行，我还可以回老家喝粥去。

和同事们告别以后，我又一个人去逛西单商场的书摊。渴望已久的，鲁迅先生翻译的《死魂灵》一书，已经陈列在那里了。用同事们带来的最后一次薪金，购置了这本名著，高高兴兴回到公寓去了。

第二天清晨，夹着这本书，出西直门，路经海淀，到离北平有五六十里路的黑龙潭，去看望在那里山村小学教书的一个朋友。他是我的同乡，又是中学同学。这人为人热情，对于比他年纪小的同乡同学，情谊很深。到他那里，正是深秋时节，黄叶飘落，潭水清冷，我不断想起曹雪芹在这一带著书的情景。住了两天，我又回到了北平。

我在朝阳大学同学处住几天，又到中国大学同学处住几天。后来，感到肚子有些饿，就写了一首诗，投寄《大公报》的《小公园》副刊。内容是：我要离开这个大城市，回到农村去了，因为我看到：在这里，是一部分人正在输血给另一部分人！

诗被采用，给了五角钱。

整理了一下，在北平一年所得的新书旧书，不过一柳条箱，就回到农村，去教小学了。

我的书籍，一损失于抗日战争之时，已在别一篇文章中略记，一损失于土地改革之时。

我的家庭成分是富农。按照当时党的政策，凡是有人在外参加革命，在政治上稍有照顾。关于书，是属于经济，还是属于政治，这是不好分的。贫农团以为书是钱买来的，这当然也是属于财产，他们就先后拿去了。其实也不看。当时，我们那里的农民，已普遍从八路军那里学会裁纸卷烟。在乡下，纸张较之布片还难得，他们是拿去卷烟了。

这时，我在饶阳县一个小区参加土改工作。大概是冀中区党委所在之地吧，发了一个通知，要各村贫农团，把斗争果实中的书籍，全部上缴小区，由专人负责清查保存。大概因为我是知识分子吧，我们的小区区长，把这个责任交给了我。

书籍也并不太多，堆在一间屋子的地下，而且多是一些古旧破书，可以用来卷烟的已经不多。我因家庭成分不好，又由于"客里空"问题，正在《冀中导报》受到公开批判，谨小慎微，对这些书籍，丝毫不敢染指，全部上缴县委了。

我的受批判，是因为那一篇《新安游记》。是个黄昏，我从端村到新安城墙附近绕了绕，那里地势很洼，有些雾气，我把大街的方向弄错了。回去仓促写了一篇抗日英雄故事，在《冀中导报》发表了。土改时被作为"客里空"典型。

在家乡工作期间，已经没有购买书籍的机会，携带也不方便。如果能遇到书本的话，只是用打游击的方式，走到哪里，就看到哪里。

但也有时得到书。我在蠡县工作时，有一次在县城大集上，从一个地摊上，买到一本商务印书馆出版的，铅印精装的《西厢记》。我带着看了一程子，后来送给蠡县一位书记了。

《冀中导报》在饶阳大张岗设立了一处造纸厂。他们收买一些旧书，用牲口拉的大碾，轧成纸浆。有一间棚子，堆放着旧书。我那时常到这家纸厂吃住。从棚子里，我捡到一本石印的《王圣教》和一本石印的《书谱》。

在河间工作的时候，每逢集日，在一处小树林里，有推着小车贩卖烂纸书本的。有一次，我从车上买到一部初版的《孽海花》。一直保存着，进城后，送给一位新婚燕尔、出国当参赞的同志了。

一九七九年四月

《善闇室纪年》 摘抄

在安国县

我十二岁，跟随父亲到安国县上学。我村距安国县六十里路。第一次是同父亲骑一匹驴去的，父亲把我放在前面。路过河流、村庄，父亲就下去牵着牲口走，我仍旧坐在上面。

等到下午三四点钟，才到了县城，一进南关，就是很热闹的了，先过药王庙，有铁旗杆，铁狮子。再过大药市、小药市，到处是黄芪味道，那时还都是人工切制药材。大街两旁都是店铺，真有些熙熙攘攘的意思。然后进南城门洞，有两道城门，都用铁皮铁钉包裹。

父亲所在的店铺，在城里石牌坊南边路东，门前有一棵古槐，进了黑漆大门，有一座影壁，下面有鱼缸，还种着玉簪花。

在院里种着别的花草和荷花。前院是柜房，后院是油作坊。

这家店铺是城北张姓东家，父亲从十几岁在这里学徒，现在算是掌柜了。

店铺对门的大院，是县教育局，父亲和几位督学都相识。我经过考试，有一位督学告诉父亲，说我的作文中，"父亲在安国为商"，"为商"应该写作"经商"，父亲叫我谨记在心，我被录取。

店铺吃两顿饭，这和我上学的时间，很有矛盾。父亲在十字街一家面铺，给我立了一个折子，中午在那里吃。早晨父亲起来给我做些早点。下午放学早，晚饭在店铺吃。终究不方便，半年以后，父亲把母亲和表姐从家里接来，在西门里路南胡家的闲院借住。

父亲告诉我，胡家的女主人是我的干娘，干爹是南关一家药店的东家，去世了。干娘对我很好，她有两个儿子，两个姑娘，大儿子在家，二儿子和我一同上高级小学，对我有些歧视。

这是一家地主，那时，城市和附近的地主，都兼营商业。她家雇一名长工，养一匹骡子，有一辆大车，还有一辆轿车。地里的事，都靠长工去管理，家里用一个老年女佣人，洗衣做饭，人们叫他"老傅家"。

我那位干哥哥，虽说当家，却是个懒散子弟，整天和婶母大娘们在家里斗牌。他同干嫂，对我也很好。

那位干姐，在女子高级小学读书，长得洁白秀丽，好说笑。对我很热情、爱护。她做的刺绣手工和画的桃花，给我留下深刻的印象。她好看《红楼梦》，有时坐在院子里，讲给我的表姐听。表姐幼年丧母，由我母亲抚养成人，帮母亲做活做饭，并不认识字。但记忆力很好。

我那时，功课很紧，在学校又爱上了新的读物，所以并不常看这些旧小说。父亲为了使我的国文进步，请了街上一位潦倒秀才，教我古文。老秀才还企图叫我作诗，给我买了一部《诗韵合璧》，究竟他怎么讲授的，一点印象也没有了。

胡家对门，据说是一位古文家，名叫刁苞的故居。父亲借来他的文集叫我看，我对那种木板刻的大本书，实在没有兴趣，结果一无所得。

这座高小，设在城内东北角原是文庙的地方。学校的教学质量，我不好评议，只记得那些老师，都是循规蹈矩，借以糊口，并没有什么先进突出之处。学校的设备，还算完善，有一间阅览室，里面放着东方杂志、教育杂志、学生杂志、妇女杂志、儿童世界等等，都是商务印书馆的出版物。还有从历史改编的故事，如岳飞抗金兵、泥马渡康王等等。还有文学研究会的小说集，叶绍钧的《隔膜》、刘大杰的《飘渺的西南风》等等，使我眼界大开。

因为校长姓刘，学校里有好几位老师也姓刘，为了便于区分，学生们都给他们起个外号。教我国文的老师叫大鼻子刘。有一天，他在课堂上，叫我们提问，我请他解释什么叫"天真烂漫"，他笑而不答，使我一直莫名其妙。等到我后来也教小学了，才悟出这是教员滑头的诀窍之一，就是他当时也想不出怎样讲解这个词。

父亲和县邮局的局长认识，愿意叫我以后考邮政。那一年，有一位青年邮务员新分配到这个局里，父亲叫我和他交好，在他公休的时候，我们常一同到城墙上去散步，并不记得他教我什么，只记得他常常感叹这一职业的寂寞、枯燥，远离家乡、举目无亲之苦。

干姐结婚后，不久就患肺病死去了，我也到保定读书去了。母亲和表姐，又都回到原籍去。

解放以后，我到安国县去过一次，这一家人，作为地主，生活变化很大。房屋拆除了不少，有被分的，有自卖的。干哥夫妇，在我们居住过的地方，开了一座磨面作坊。

一九八〇年十月十一日晨

在北平

从北平市政府出来以后，失业一段时间，后来到象鼻子中坑小学当事务员。

这座小学校，在东城观音寺街内路北，当时是北平不多几个实验小学之一。

这也是父亲代为谋取的，每月十八元薪金。校长姓刘，是我在安国上小学时那个校长的弟弟，北平师范毕业。当时北平的小学，都由北平师范的学生把持着。北伐战争时期，这个校长参加了国民党，在接收这个小学时，据说由几个同乡同学，从围墙外攻入，登上六年级教室那个制高点，抛掷砖瓦，把据守在校内的非北师毕业的校长驱逐出去。帮他攻克的同乡、同事，理所当然地都是本校教员了。

校长每月六十元薪金，此外修缮费、文具费虚报，找军衣庄给学生做制服，代书店卖课本，都还有些好处。所以他能带家眷，每天早上冲两个鸡蛋，冬天还能穿一件当时在北平很体面的厚呢大外氅。

此人深目鹰鼻，看来不如他的哥哥良善。学校有两名事务员，一个管会计，一个管庶务。原来的会计，也是安国人，大概觉得这个职业，还不如在家种地，就辞职不干了。父亲在安国听到这个消息，就托我原来的校长和他弟弟说，看人情答应的。

但是，我的办事能力实在不行，会计尤其不及格。每月向社会局（那时不叫教育局）填几份表报，贴在上面的单据，大都是文具店等开来的假单据，要弄得支付相当，也需要几天时间。好在除了这个，也实在没有多少事。校长看我是个学生，又刚来乍到，连那个保险柜的钥匙，也不肯交给我。当然我也没兴趣去争那个。

只是我的办公地点太蹩脚。校长室在学校的前院，外边一大间，安有书桌电话，还算高敞；里边一间，非常低小阴暗，好像是后来加盖的一个"尾巴"，但不是"老虎尾巴"，而是像一个肥绵羊的尾巴。尾巴间向西开了一个低矮的小窗户，下面放着我的办公桌。靠南墙是另一位办事员的床铺，北墙是我的床铺。

庶务办事员名叫赵松，字干久，比我大几岁。他在此地干得很久了，知道学校很多掌故，对每位教员，都有所评论，并都告诉我。

每天午饭前，因为办公室靠近厨房，教员们下课以后，都拥到办公室来，赵松最厌烦的是四年级的级任，这个人，从走路的姿势，就可以看出他的自高自大。他有一个坏习惯，一到办公室，就奔痰盂，大声清理他的鼻喉。赵松给他起了一个绰号，叫作"管乐"。这位"管乐"西服革履，趾高气扬。后来忽然低头丧气起来，赵松告诉我，此人与一女生发生关系，女生怀孕，正在找人谋求打胎。并说校长知而不问，是因同乡关系。

六年级级任，也是校长的同乡。他年岁较大，长袍马褂，每到下课，就一边擦着鼻涕，一边急步奔到我们的小屋里，两手把长袍架起，眯着眼睛，弓着腰，嘴里喃喃着"小妹妹，小妹妹"，直奔赵松的床铺，其神态酷似贾琏。赵松告诉我，这位老师，每星期天都去逛暗娟，对女生，师道也很差。

学校的教室，都在里院，和我们隔着一道墙，我不好走动，很少进去观望。上课的时候，教员讲课的声音，以及小学生念笔顺的声音，是听得很清楚的。那时这座小学正在实验"引起动机"教学法，就是先不讲课文的内容，而由教员从另外一种事物引起学生学习课文的动机。不久，小学生就了解老师的做法，不管你怎样引起，他就是不往那上面说。比如课文讲的是公鸡，老师问：

"早晨你们常听见什么叫唤呀！"

"鸟叫。"学生们回答。

老师一听有门，很高兴，又问：

"什么鸟叫啊？"

"乌鸦。"

"没有听到别的叫声吗？"

"听到了，麻雀。"

这也是赵松告诉我的故事。

每月十八元，要交六元伙食费，剩下的钱再买些书，我的生活，可以算是很清苦了。床铺上连枕头也没有，冬天枕衣包，夏天枕棉裤。赵松曾送我两句诗，其中一句是"可怜年年枕棉裤"。

可是正在青年，志气很高，对人从不假借，也不低三下四。现在想起来，这一方面，固然是刚出校门，受社会感染还不深，也并没有实受饥寒交迫之苦；另一方面也因为家有一点恒产，有退身之路，可以不依附他人，所以能把腰直立起来。

这些教员自视，当然比我们高一等，他们每月有四十元薪金，但没有一个人读书，也不备课，因为都已教书多年，课本又不改变。每天吃过晚饭，就争先恐后地到外边玩去了。三年级级任，是定兴县人，他家在东单牌楼开一座澡堂，有时就请同事到那里洗澡，当然请不到我们的名下。

我和赵松，有时寂寞极了，也在星期六晚上，到前门外娱乐场所玩一趟，每人要花一元多钱，这在我们，已经是所费不赀了。回来后，赵松总是倒在床上唉叹不已，表示忏悔。后来，他的一位同乡，在市政府当了科长，约他去当一名办事员，每月所得，可与教员媲美。他把遗缺留给他的妹夫，这人姓杨，也是个中学生，和我也很要好。

我还是买些文艺书籍来读。一年级的级任老师，是个女的，有时向我借书看，她住在校内，晚上有时也到我们屋里谈谈，总是站在桌子旁边，不苟言动。

每逢晚饭之后，我到我的房后面的操场上去。那里没有一个人，我坐在双杠上，眼望着周围灰色的墙，和一尘不染的天空，感到绝望。我想离开这里，到什么地方去呢？我想起在中学时，一位国文老师，讲述济南泉柳之美，还有一种好吃的东西，叫小豆腐，我幻想我能到济南去。不久，我就以此为理由，向校长提出辞职，校长当然也不会挽留。

　　但到济南又投奔何处？连路费也没有。我只好又回到老家去，那里有粥喝。

一九八〇年十月十一日晨

移家天津

　　一九四九年一月，我随《冀中导报》的人马，进入天津，在新办的《天津日报》工作。很多同志，都有眷属。过了春节，我也想回家去看看。还想像来时一样，骑那辆破自行车。可是没走出南市，我就退回来了。一是我骑车技术不行，街上人太多，一时出不了城。二是我方向也弄不清，怕走错了路。我到长途汽车站买了一张去河间的票，第二天清晨上车，天黑了才到河间。河间是熟地方，我投宿在新华书店，先去雇了一辆大车。

第二天车夫又变了卦，不愿去了。我只好步行到肃宁，那里有一个熟识的纸厂，住了一宿，再坐纸厂去安国的大车，半路下车，走回老家。

这次回家，为了减轻家里的负担，把二女儿带出。先由她舅父用牛车把我们送到安国县，再买长途汽车票。那时的长途汽车，都是破旧的大卡车，卖票又没限制，路上不断抛锚。二女儿因为从小没有跟过我，一路上很规矩，她坐在车边，碰掉一个牙齿，也不敢哭。到了天津，孩子住在我那间小屋里，我白天上班，她一个人在屋里，闷了就睡觉，有一天真哭了。我带她去投考附近的一所小学，老师随便考试了一下，就录取了。

以后，母亲随一位要去上海的亲戚，来天津一次；大女儿也随她堂叔父从河道坐船来天津一次，都住在我那间小屋里，都是住上十天半月，就又回老家了。

第二年春天，才轮到我的妻子来。我先写了一封信，说是要坐火车，不要坐汽车。结果她还是跟一个来天津的亲戚，到安国上的长途汽车，也是由小孩的舅父套牛车去送。她带着两个孩子，一个会跑，一个还抱着。车上人很挤，她怕把孩子挤坏，车到任丘，她就下车了，也不知道，任丘离天津还有多远。

那个带她们的亲戚，到了天津，也不到我的住处，只是往办公室打了一个电话说：

"你的家眷来了。"

我问在哪里，他才说在任丘什么店里。

我一听就急了，一边听电话，一边请身边的同志，把店名记下来。当即找报社的杨经理去商议。老杨先给了我一叠钞票，然后又派了一辆双套马车，由车夫老张和我去任丘。

我焦急不安。我知道，她从来没出过远门。只是娘家到婆家，婆家到娘家，像拐线子一样，在那只有八里路程的道上，来回走过。身边还有两个小孩子。最使我担心的，是她身上没有多少钱。那时家里已经不名一文，因此，一位邻居，托我给他的孩子在天津买一本小字典，我都要把发票寄给人家，叫人家把钱还给家里用。她这次来得仓促，我也没寄钱给她们，实在说，我手里也没有多少钱。

不管我多么着急，大车也只能明天出发，不能当晚出发。第二天，车夫老张又要按部就班地准备，等到开车，已经是上午九点了。在路上打尖时，我迎住了一辆往南开的汽车，请司机带一个纸条，到任丘交给店里。后来知道，人家也没照办。

第二天下午三点左右，才到了任丘，找到了那家店房。妻和两个孩子，住在店掌柜的家里。早有人送了信去，都过来了。我要了几碗烩饼，叫她们饱吃一顿。

妻一见我，就埋怨：为什么昨天还不来。我没有说话。她说已经有两顿不敢吃饭了，在街上买了一点棒子面，到野地去捡些树枝，给男孩子煮点粥。

她去和店家的女主人说了说，当晚我也和她们住在一起。那时老区人和人的关系，还是很朴实的。

第二天一早，告别店主，一家人上车赶路，天晚宿在唐官屯店中，睡在只有一张破席的炕上。荒村野店，也有爱情。

她来时，家里只有一件她自己织的粗布小褂，也穿得半旧了。向邻家借了一件旧阴丹士林褂子，穿在身上。到了天津，我去买了两丈蓝布，她在我屋里缝制了一身新衣。

我每天上班，小屋里住了一家四五口人，不得安静。几口人吃公家的饭，也不合适，住了大约有半月时间，我就叫她回去。先是说跟报社一位同志坐火车走，我把她们送到车站，上车的人太多，太拥挤，怕她带不好孩子，又退票回来了。过了几天，有《河北日报》的汽车回去，她们跟人家的车，先到保定，在那里工作的熟人，照顾她们，给雇了一辆大车，回到家里，正是麦收时候。

又过了半年，报社实行薪金制，我的稿费收入也多些了，才又把她们接出。稍后又把母亲和大女儿接出，托报社老崔同志，买了米面炉灶，算是在天津安了家。

我对故乡的感情很深。虽然从十二岁起，就经常外出，但每次回家，一望见自己家里屋顶上的炊烟，心里就升起一种难以表达难以抑制的幸福感情。我想：我一定老死故乡，不会流寓外地的。但终于离开了，并且终于携家带口地离开了。

一九八四年四月二十三日

一九五六年的旅行

一九五六年的三月间，一天中午，我午睡起来晕倒了，跌在书橱的把手上，左面颊碰破了半寸多长，流血不止。报社同人送我到医院，缝了五针就回来了。

我身体素质不好，上中学时，就害过严重的失眠症，面黄肌瘦，同学们为我担心。后来在山里，因为长期吃不饱饭，又犯了一次，中午一个人常常跑到村外大树下去静静地躺着。

但我对于这种病，一点知识也没有，也没有认真医治过。

这次跌了跤，同志们都劝我外出旅行。那时进城不久，我还不像现在这样害怕出门，又好一人孤行，请报社和文联给我打算去的地方，开了介绍信，五月初就动身了。

对于旅行，虽说我还有些余勇可贾，但究竟不似当年了。去年秋天，北京来信，要我为一家报纸，写一篇介绍中国农村妇女的文章。我坐公共汽车到了北郊区。采访完毕，下了大雨，汽车不通了。我一打听，那里距离市区，不过三十里，背上书包就走了。过去，每天走上八九十里，对我是平常的事。谁知走了不到二十里，腿就不好使起来，像要跳舞。我以为是饿了，坐在路旁，吃了两口郊区老乡送给我的新玉米面饼子，还是不顶事。勉强走到市区，雇了一辆三轮，才回到了家。

这次旅行，当然不是徒步，而是坐火车，舒服多了，这应该说是革命所赐，生活条件，大为改善了。

济　南

第一个目标是济南。说也奇怪，从二十岁左右起，我对济南这个地方，就非常向往。在中学的国文课堂上，老师讲了一段《老残游记》，随后又说他幼小时跟着父亲在济南度过，那里的风景确实很好。还有一种好吃的东西，叫做小豆腐。这一段话，竟在我心里生了根。后来在北平当小学职员，不愿意干了，就对校长说：我要到济南去了，辞了职。当然没有去成。

在济南下车时，也就是下午一二点钟。雇了一辆三轮，投奔山东文联。那时王希坚同志在文联负责，我们是在北京认识的。

济南街上，还是旧日省城的样子，古老的砖瓦房，古老的石铺街道。文联附近，是游览区，更热闹一些，有不少小商小贩，摆摊叫卖。文联大院，就是名胜所在，有泉水，种植着荷花，每天清晨，人们就在清流旁盥洗。

王希坚同志给了我一间清静的房。他知道我的脾气，说："吃饭，愿意在食堂吃也可，愿意出去吃小馆，也方便。"

因为距离很近，当天我就观看了珍珠泉、趵突泉、黑虎泉。那时水系没遭到破坏，趵突泉的水，还能涌起三尺来高。

第二天，文联的同志，陪我去游了大明湖和千佛山，乘坐了彩船，观赏了文物。那时游人很少，在千佛山，我们几乎没遇到什么游人，像游荒山野寺一样。我最喜欢这样的游览，如果像赶庙会一样，摩肩接踵，就没有意思了。

我也到附近小馆去吃过饭，但没有吃到老师说的那种小豆腐。

另外，没有找到古旧书店，也是一大遗憾。我知道，济南的古书不少，而且比北京、天津，便宜得多。

南 京

第二站是南京。到南京已经是下午五六点钟了。我先赶到江苏省文联。那时的文联，多与文化局合署办公，文联与文化局电话联系，说来了一位客人，想找个住处。文化局好像推托了一阵子，最后说是可以去住什么酒家。

对于这种遭遇，我并不以为怪。我在南京没有熟人，还算是顺利地解决了食住问题。应该感谢那时同志们之间的正常的热情的关照。如果是目前，即使有熟人，恐怕也还要费劲一些。

此次旅行，我也先有一些精神准备。书上说：在家不知好宾客，出门方觉少知音，正好是对我下的评语。

在酒家住了一夜。第二天吃过早饭，我先去逛了明孝陵，陵很高很陡，在上面看到了朱元璋的一幅画像，躯体很高大，前额特别突出，像扣上一个小瓢似的。脸上有一连串黑痣。这种异相，史书上好像也描写过。

从孝陵下来，我去游览了中山陵，顺便又游了附近一处名胜灵谷寺。一路梧桐林荫路，枝叶交接如连理，真使人叫绝。

下午游了雨花台、玄武湖、鸡鸣寺、夫子庙。没有游莫愁湖，没有看到秦淮河。这样奔袭突击式的游山玩水，已经使我非常疲乏。为了休息一下，就去逛了逛南京古旧书店。书店内外，都很安静，好书也多，排列得很规则。惜天色已晚，未及细看，就回旅舍了。此后，我通过函购，从这里买了不少旧书，其中并有珍本。

第三天清晨，我离开南京去上海。

现在想来，像我这样的旅行，可以说是消耗战，还谈得上是怡情养病？到了一处，也只是走马观花，连凭吊一下的心情也没有。别处犹可，像南京这个地方，且不说这是龙盘虎踞的形胜之地，就是六朝烟粉，王谢风流，潮打空城，天国悲剧，种种动人的历史传说，就没有引起我的丝毫感慨吗？

确实没有。我太累了。我觉得，有些事，读读历史就可以了，不必想得太多。例如关于朱元璋，现在有些人正在探讨他的杀戮功臣，是为公还是为私？各有道理，都有论据。但可信只有一面，又不能起朱元璋而问之，只有相信正史。至于文人墨客，酒足饭饱，对历史事件的各种感慨，那是另一码事。我此次出游，其表现有些像凡夫俗子的所到一处，刻名留念。中心思想，也不过是为了安慰一下自己：我一生一世，毕竟到过这些有名的地方了。

上　海

很快就到了上海，作家协会介绍我住在国际饭店十楼。这是最繁华的地区，对我实在不利。即使平安无事，也能加重神经衰弱。尤其是一上一下的电梯，灵活得像孩子们手中的玩具，我还没有定下心来，十楼已经到了。

第二天上午，一个人去逛书店，雇了一辆三轮，其实一转弯就到了。还好,正赶上古籍书店开张,琳琅满目,随即买了几种旧书,其中有仰慕已久的戚蓼生序小字本《红楼梦》。

想很快离开上海,第二天就到了杭州。

杭　州

中午到了杭州,浙江省文联,也没有熟人。在那里吃了一碗面条,自己就到湖边去了。天气很好,又是春季,湖边的游人还算是多的。面对湖光山色,第一个感觉是:这就是西湖。因为旅途劳顿,接连几夜睡不好觉,我忽然觉得精神不能支持,脚下也没有准头,随便转了转,买了些甜食吃,就回来了。

第二天,文联通知我,到灵隐寺去住。在那里,他们新买到一处资本家的别墅,作为创作之家,还没有人去住过,我来了正好去试试。用三轮车带上一些用具,把我送了过去。

这是一幢不小的楼房,只楼下就有不少房间。楼房四周空旷无人,而飞来峰离它不过一箭之地。寺里僧人很少,住的地方离这里也很远。天黑了,我一度量形势,忽然恐怖起来。这样大的一个灵隐寺,周围是百里湖山,寺内是密林荒野,不用说别的,就是进来一条狼,我也受不了。我得先把门窗关好,而门窗又是那么多。关好了门窗，我躺在临时搭好的简易木板床上，头顶有一盏光亮微弱的灯，翻看新买的一本杭州旅行指南。

我想，什么事说是说，做是做。有时说起来很有兴味的事，实际一做，就会适得其反。比如说，我最怕嘈杂，喜欢安静，现在置身山林，且系名刹，全无干扰，万籁无声，就觉得舒服了吗？没有，没有。青年时，我也想过出世，当和尚。现在想，即使有人封我为这里的住持，我也坚决不干。我现在需要的是一个伴侣。

一夜也没有睡好，第二天清晨起来，在溪流中洗了洗脸，提上从文联带来的热水瓶，到门口饭店去吃饭。吃完饭，又到茶馆打一瓶开水提回来。

据说，西湖是全国风景之首，而灵隐又是西湖名胜之冠。真是名不虚传。自然风景，且不去说，单是寺内的庙宇建筑，宏美丰丽，我在北方，是没有见过的。殿内的楹联牌匾，佳作尤多。

在这里住了三天，西湖的有名处所，也都去过了，在小市自己买了一只象牙烟嘴，在岳坟给孩子们买了两对竹节制的小水桶。我就离开了杭州，又取道上海，回到天津。

此行，往返不到半月，对我的身体非常不利，不久就大病了。

跋

余之晚年，蛰居都市，厌见扰攘，畏闻恶声，足不出户，自喻为画地为牢。然当青壮之年，亦曾于燕南塞北，太行两侧，有所涉足。亦时见山河壮观，阡陌佳丽。然身在队列，或遇战斗，或值风雨，或感饥寒，无心观赏，无暇记述。但印象甚深至老不忘。

古人云，欲学子长之文，先学子长之游，此理固有在焉。然柳柳州《永州八记》，所记并非罕遇之奇景异观也，所作文字乃为罕见独特之作品耳。范仲淹作《岳阳楼记》，本人实未至洞庭湖，想当然之，以抒发抱负。苏东坡《前赤壁赋》，所见并非周郎破曹之地，后人不以为失实。所述思绪，实通于古今上下也。

以此观之，游记之作，固不在其游，而在其思。有所思，文章能为山河增色，无所思，山河不能救助文字。作者之修养抱负，于山河于文字，皆为第一义，既重且要。余之作，不堪言此矣。

一九八三年八月十七日追记

黄 鹂
——病期琐事

    这种鸟儿，在我的家乡好像很少见。童年时，我很迷恋过一阵捕捉鸟儿的勾当。但是，无论春末夏初在麦苗地或油菜地里追逐红靛儿，或是天高气爽的秋季，奔跑在柳树下面网罗虎不拉儿的时候，都好像没有见过这种鸟儿。它既不在我那小小的村庄后边高大的白杨树上同鹨鸡儿一同鸣叫，也不在村南边那片神秘的大苇塘里和苇咋儿一块筑窠。

    初次见到它，是在阜平县的山村。那是抗日战争期间，在不断的炮火洗礼中，有时清晨起来，在茅屋后面或是山脚下的丛林里，我听到了黄鹂的尖利的富有召唤性和启发性的啼叫。可是，它们飞起来，迅若流星，在密密的树枝树叶里忽隐忽现，常常是在我仰视的眼前一闪而过，金黄的羽毛上映照着阳光，美丽极了，想多看一眼都很困难。

因为职业的关系，对于美的事物的追求，真是有些奇怪，有时简直近于一种狂热。在战争不暇的日子里，这种观察飞禽走兽的闲情逸致，不知对我的身心情感，起着什么性质的影响。

前几年，终于病了。为了疗养，来到了多年向往的青岛。春天，我移居到离海边很近，只隔着一片杨树林洼地的一幢小楼房里。有很长的一段时间，我一个人住在这里，清晨黄昏，我常常到那杨树林里散步。有一天，我发现有两只黄鹂飞来了。

这一次，它们好像喜爱这里的林木深密幽静，也好像是要在这里产卵孵雏，并不匆匆离开，大有在这里安家落户的意思。

每天，天一发亮，我听到它们的叫声，就轻轻打开窗帘，从楼上可以看见它们互相追逐，互相逗闹，有时候看得淋漓尽致，对我来说，这真是饱享眼福了。

观赏黄鹂，竟成了我的一种日课。一听到它们叫唤，心里就很高兴，视线也就转到杨树上，我很担心它们一旦要离此他去。这里是很安静的，甚至有些近于荒凉，它们也许会安心居住下去的。我在树林里徘徊着，仰望着，有时坐在小石凳上谛听着，但总找不到它们的窠巢所在，它们是怎样安排自己的住室和产房的呢？

一天清晨，我又到树林里散步，和我患同一种病症的史同志手里拿着一支猎枪，正在瞄准树上。

"打什么鸟儿?"我赶紧过去问。

"打黄鹂!"老史兴致勃勃地说，"你看看我的枪法。"

这时候，我不想欣赏他的枪技，我但愿他的枪法不准。他瞄了一会儿，黄鹂发觉飞走了。乘此机会，我以老病友的资格，请他不要射击黄鹂，因为我很喜欢这种鸟儿。

我很感激老史同志对友谊的尊重。他立刻答应了我的要求，没有丝毫不平之气。并且说:

"养病么，喜欢什么就多看看，多听听。"

这是真诚的同病相怜。他玩猎枪，也是为了养病，能在兴头儿上照顾旁人，这种品质不是很难得吗?

有一次，在东海岸的长堤上，一位穿皮大衣戴皮帽的中年人，只是为了讨取身边女朋友的一笑，就开枪射死了一只回翔在天空的海鸥。一群海鸥受惊远飏，被射死的海鸥落在海面上，被怒涛拍击漂卷。胜利品无法取到，那位女人请在海面上操作的海带培养工人帮助打捞，工人们愤怒地掉头划船而去。这给我留下了深刻的印象。回到房子里，无可奈何地写了几句诗，也终于没有完成，因为契诃夫在好几种作品里写到了这种人。我的笔墨又怎能更多地为他们的业绩生色? 在他们的房间里，只挂着契诃夫为他们写的褒词就够了。

　　惋惜的是，我的朋友的高尚情谊，不能得到这两只惊弓之鸟的理解，它们竟一去不返。从此，清晨起来，白杨萧萧，再也听不到那种清脆的叫声。夏天来了，我忙着到浴场去游泳，渐渐把它们忘掉了。

　　有一天我去逛鸟市。那地方卖鸟儿的很少了，现在生产第一，游闲事物，相应减少，是很自然的。在一处转角地方，有一个卖鸟笼的老头儿，坐在一条板凳上，手里玩弄着一只黄鹂。黄鹂系在一根木棍上，一会儿悬空吊着，一会儿被拉上来。我站住了，我望着黄鹂，忽然觉得它的焦黄的羽毛，它的嘴眼和爪子，都带有一种凄惨的神气。

　　"你要吗？多好玩儿！"老头儿望望我问了。

　　"我不要。"我转身走开了。

　　我想，这种鸟儿是不能饲养的，它不久会被折磨得死去。这种鸟儿，即使在动物园里，也不能从容地生活下去吧，它需要的天地太宽阔了。

　　从此，有很长一段时间，我不再想起黄鹂。第二年春季，我到了太湖，在江南，我才理解了"杂花生树，群莺乱飞"这两句文章的好处。

　　是的，这里的湖光山色，密柳长堤；这里的茂林修竹，桑田苇泊；这里的乍雨乍晴的天气，使我看到了黄鹏的全部美丽，这是一种极致。

是的，它们的啼叫，是要伴着春雨、宿露，它们的飞翔，是要伴着朝霞和彩虹的。这里才是它们真正的家乡，安居乐业的所在。

各种事物都有它的极致。虎啸深山，鱼游潭底，驼走大漠，雁排长空，这就是它们的极致。

在一定的环境里，才能发挥这种极致。这就是形色神态和环境的自然结合和相互发挥，这就是景物一体。典型环境中的典型性格，也可以从这个角度来理解吧。这正是在艺术上不容易遇到的一种境界。

一九六二年四月

病期经历

小汤山

我从北京红十字医院出来,就到北京附近的小汤山疗养院去。报社派了一位原来在传达室工作的老同志来照顾我。

他去租了一辆车,在后座放上了他那一捆比牛腰还要粗得多的行李,余下的地方让我坐。老同志是个光棍汉,我想他把全部家当都随身带来了。出了城,车在两旁都是高粱地的狭窄不平的公路上行驶。现在是七月份,天气干燥闷热,路上也很少行人车辆。不久却遇上一辆迎面而来的拉着一具棺材的马车,有一群苍蝇追逐着前进,使我一路心情不佳,我的神经衰弱还没有完全好。

小汤山属昌平县,是京畿的名胜之一,有一处温泉,泉水形成了一个不小的湖泊,周围还有小河石桥等等景致。在湖的西边有一块像一座小平房的黑色巨石,人们可以上到顶上眺望。

湖旁有一些残碣断石，可以认出这里原是晚清民初什么阔人的别墅。解放以后，盖成一座规模很不小的疗养院。

我能来这里疗养，也是那位小时的同学李之琏同志给办的，他认识一位卫生部的负责人，正在这里休养和管事。疗养院是一排两层的楼房，头起有两处高级房间，带有会客室和温泉浴室。我竟然住进了楼上的一间。这也是我一生中难得的幸遇，所以特别在这里记一笔。

在小汤山，我学会了钓鱼和划船。每天从早到晚，呼吸从西北高山上吹来的，掠过湖面，就变成一种潮湿的、带有硫磺气味的新鲜空气。钓鱼的技术虽然不高，也偶然能从水面上钓起一条大鲢鱼，或从水底钓起一条大鲫鱼。

划船的技术也不高，姿态更不好，但在这个湖里划船，不会有什么风浪的危险，可以随心所欲，而且有穿过桥洞、绕过山脚的种种乐趣。温泉湖里的草，长得特别翠绿柔嫩，它们在水边水底摇曳，多情和妩媚，诱惑人的力量，在我现在的心目中，甚于西施贵妃。

我的病渐渐好起来了。证明之一，是我开始又有了对人的怀念、追思和恋慕之情。我托城里的葛文同志，给在医院细心照顾过我的一位护士，送一份礼物，她就要结婚了。证明之二，是我又想看书了。我在疗养院附近的小书店，买了新出版的《拍案惊奇》和《唐才子传》，又郑重地保存起来，甚至因为不愿意那位老同志拿去乱翻，惹得他不高兴。

这位老同志原来是赶大车的，我们傍晚坐在小山上，他给我讲过不少车夫进店的故事。我们还到疗养院附近的野地里去玩，那里有不少称之为公主坟的地方。

从公主坟地里游玩回来，我有时看看《聊斋志异》。这件事叫疗养院的医生知道了，对那位老同志说：

"你告他不要看那种书，也不要带他到荒坟野寺里去转游！"

其实，神经衰弱是人间世界的疾病，不是狐鬼世界的疾病。

我的房间里，有引来的温泉水。有时朋友们来看我，我都请他们洗个澡。慷国家之慨，算是对他们的热情招待。女同志当然是不很方便的。但也有一位女同志，主动提出要洗个澡，使我这习惯男女授受不亲的人，大为惊异。

已经是十一月份了，天气渐渐冷了，湖里的水草，也不再像过去那样翠绿。清晨黄昏，一层蒸汽样的浓雾，罩在湖面上，我们也很少上到小山顶上去闲谈了。在医院时，我不看报，也不听广播，这里的广播喇叭，声音很大，走到湖边就可以听到，正在大张旗鼓地批判右派。有一天，我听到了丁玲同志的名字。

过了阳历年，我决定从小汤山转到青岛去。在北京住了一晚，李之琏同志来看望了我。他虽然还是坐了一辆小车来，也没有和我谈论什么时事，但我看出他的心情很沉重。不久，就听说他也牵连在所谓右派的案件中了。

一九八四年九月二十八日晨四时记

青　岛

关于青岛，关于它的美丽，它的历史，它的现状，已经有很多文章写过了。关于海、海滨、贝壳，那写过的就更多，可以说是每天都可以从报刊见到。

我生在河北省中部的平原上，是一个常年干旱的地方，见到是河水、井水、雨后积水，很少见到大面积的水，除非是滹沱河洪水暴发，但那是灾难，不是风景。后来到白洋淀地区教书，对这样浩渺的水泊，已经叹为观止。我从来也没有想过到青岛这类名胜之地，去避暑观海。认为这种地方，不是我这样的人可以去得的，去了也无法生存。

从小汤山，到青岛，是报社派小何送我去的。时间好像是一九五八年一月。

青岛的疗养院，地处名胜，真是名不虚传。在这里，我遇到了各界的一些知名人士，有哲学教授，历史学家，早期的政治活动家，文化局长，市委书记，都是老干部，当然有男有女。

这些人来住疗养院，多数并没有什么大病，有的却多少带有一点政治上的不如意。反右斗争已经进入高潮，有些新来的人，还带着这方面的苦恼。

一个市的文化局长，我们原来见过一面，我到那个市去游览时，他为我介绍过宿地。是个精明能干的人，现在得了病，竟不认识我了。他精神沉郁，烦躁不安。他结婚不久的爱人，是个漂亮的东北姑娘，每天穿着耀眼的红毛衣，陪着他，并肩坐在临海向阳的大岩石上。从背后望去，这位身穿高干服装的人，该是多么幸福，多么愉快。但他终日一句话也不说，谁去看他，他就瞪着眼睛问：

"你说，我是右派吗？"

别人不好回答，只好应酬两句离去。只有医生，是离不开的，是回避不了的。这是一位质朴而诚实的大夫，有一天，他抱着甘冒天下之大不韪的决心，对病人说：

"你不是右派，你是左派。"

病人当时脸上露出了一丝笑容，但这一保证，并没有能把他的病治好。右派问题越来越提得严重，他的病情也越来越严重。不久，在海边上就再也见不到他和他那穿红毛衣的夫人了。

我邻居的哲学教授，带来一台大型留声机，每天在病房里放贝多芬的唱片。他热情地把全楼的病友约来，一同欣赏。但谁也不能去摸他那台留声机。留声机的盖子上，贴有他撰写的一张注意事项，每句话的后面，都用了一个大惊叹号，他写文章，也是以多用惊叹号著称的。

我对西洋音乐，一窍不通，每天应约听贝多芬，简直是一种苦恼。不久，教授回北京去，才免除了这个负担。

在疗养院，遇到我的一个女学生。她已进入中年，穿一件黑大衣，围一条黑色大围巾，像外国的贵妇人一样。她好到公园去看猴子，有一次拉我去，带了水果食物，站在草丛里，一看就是一上午。她对我说，她十七岁出来抗日，她的父亲，在土地改革时死亡。她没有思想准备，她想不通，她得了病。但这些话，只能向老师说，不能向别人说。

到了夏季，是疗养地的热闹时期，家属们来探望病人的也多了。我的老伴也带着小儿女来看我，见我确是比以前好多了，她很高兴。

　　每天上午，我跟着人们下海游泳，也学会了几招，但不敢到深处去。有一天，一位少年倜傥的"九级工程师"，和我一起游。他慢慢把我引到深水，我却差一点没喝了水，赶紧退了回来。这位工程师，在病人中间，资历最浅最年轻，每逢舞会，总是先下场，个人独舞，招徕女伴大众围观，洋洋自得。

　　这是病区，这是不健康的地方。有各种各样的人，各种各样的病。在这里，会养的人，可以把病养好，不会养的人，也可能把病养坏。这只是大天地里的一处小天地，却反映着大天地脉搏的一些波动。

　　疗养院的干部、医生、护理人员，都是山东人，很朴实，对病人热情，照顾得也很周到。我初来时，病情比较明显，老伴来了，都是住招待所。后来看我好多了，疗养院的人员都很高兴。冬天，我的老伴来看我，他们就搬来一张床，让我们夫妻同处，还叫老伴跟我一同吃饭。于是我的老伴，大开洋荤，并学会了一些烹饪技艺。她对我说：我算知道高汤是怎么个做法了，就是清汤上面再放几片菜叶。

　　护士和护理员，也都是从农村来的，农村姑娘一到大城市，特别是进了疗养院这种地方，接触到的，吃到的，看到的，都是新鲜东西。

疗养人员，没有重病，都是能出出进进，走走跳跳，说说笑笑的。疗养生活，说起来虽然好听，实际上很单调，也很无聊。他们每天除去打针散步，就是和这些女孩子打交道。日子久了，也就有了感情。在这种情况下，两方面的感情都是容易付出的，也容易接受的。

我在这个地方，住了一年多。因为住的时间长了，在住房和其他生活方面，疗养院都给我一些方便。春夏两季，我差不多是自己住着一所小别墅。

小院里花草齐全，因为人烟稀少，有一只受伤的小鸟，落到院里。它每天在草丛里用一只腿跳着走，找食物，直到恢复了健康，才飞走了。

其实草丛里也不是太平的。秋天，一个病号搬来和我同住，他在小院散步时，发现一条花蛇正在吞食一只癞蛤蟆。他站在那里观赏两个小时，那条蛇才完全吞下了它的猎物。他对我说：有趣极了！并招呼我去看看，我没有去。

我正在怀疑，我那只小鸟，究竟是把伤养好，安全飞走了呢；还是遇到了蛇一类的东西，把它吞掉了？

我不会下棋、打扑克，也不像别人手巧，能把捡来的小贝壳，编织成什么工艺品，或是去照像。又不好和人闲谈，房间里也没有多少书。最初，就去海边捡些石头，后来石头也不愿捡了，只是在海边散步。晴天也去，雨天也去，甚至夜晚也去。夜晚，走在海岸上听海涛声，很雄壮也很恐怖。身与海浪咫尺之隔，稍一失足，就会掉下去。等到别人知道了，早已不知漂到何处。想到这里，夜晚也就很少出来了。

在这一年冬季，来了一位护理员，她有二十来岁，个子不高，梳两条小辫。长得也不俊，面孔却白皙，眼神和说话，都给人以妩媚，叫人喜欢。她正在烧锅炉，夜里又要去炼钢铁，还没有穿棉衣。慢慢熟识了，她送给我一副鞋垫。说是她母亲绣的，给她捎了几副来，叫她送给要好的"首长们"。鞋垫用蓝色线绣成一株牡丹花，很精致，我收下了。我觉得这是一份情意，农村姑娘的情意，像过去在家乡时一样的情意。我把这份情意看得很重。我见她还没穿棉袄，就给她一些钱，叫她去买些布和棉花做一件棉袄，她也收下了。

这位姑娘，平日看来腼腼腆腆，总是低着头，遇到一定场合，真是嘴也来得，手也来得。后来调到人民大会堂去做服务员，在北京我见到她。她出入大会堂，还参加国宴的招待工作，她给我表演过给贵宾斟酒的姿势。还到中南海参加过舞会，真是见过大世面了。女孩子的青春，无价之宝，遇到机会，真是可以飞上天的。

这是云烟往事，是病期故事。是萍水相逢。萍水相逢，就是当水停滞的时候，萍也需要水，水也离不开萍。

水一流动，一切就成为过去了。

我很寂寞。我有时去逛青岛的中山公园。公园很大，很幽静，几乎看不到什么游人。因为本地人，到处可以看到自然景物，用不着花钱来逛公园；外地人到青岛，主要是看海，不会来逛各地都有的公园的。但是，青岛的公园，对我来说，实在可爱。主要是人少，就像走入幽林静谷一样，不像别处的公园，像赶集上庙一样。公园里有很大的花房，桂花、茶花、枇杷果，在青岛都能长得很好，在天津就很难养活。公园还有一个鹿苑，我常常坐在长椅上看小鹿。

我有机会去逛了一次崂山。那时还没有通崂山的公共汽车，去一趟很不容易。夏天，刘仙洲教授来休养，想逛崂山，疗养院派了一辆吉普车，把我也捎上。刘先生是我上过的保定育德中学的董事，当时他的大幅照片，悬挂在校长室的墙壁上，看起来非常庄严，学生们都肃然起敬。现在看来，并不显老，走路比我还快。

车在崂山顶上行驶时，真使人提心吊胆。从左边车窗可以看到，万丈峭壁，下临大海，空中弥漫着大雾，更使人不测其深危。我想，司机稍一失手，车就会翻下去。还有几处险道，车子慢慢移动，车上的人，就越发害怕。

好在司机是有经验的。平安无事。我们游了崂山。

我年轻时爬山爬得太多了，后来对爬山没有兴趣，崂山却不同。印象最深的，是那两棵大白果树，真是壮观。看了蒲松龄描写过的地方，牡丹是重新种过的，耐冬也是。这篇小说，原是我最爱读的，现在身临其境，他所写的环境，变化并不太大。

中午，我们在面对南海的那座有名的寺里，吃午饭。饭是疗养院带来的面包、茶鸡蛋、酱肝之类，喝的也是带来的开水。把食物放在大石头上，大家围着，一边吃，一边闲话。刘仙洲先生和我谈了关于育德中学老校长郝仲青先生的晚年。

一九五九年，过了春节，我离开青岛转到太湖去。报社派张翔同志来给我办转院手续。他给我买来一包点心，说是在路上吃。我想路上还愁没饭吃，要点心干什么，我把点心送给了那位护理员。她正在感冒，自己住在一座空楼里。临别的那天晚上，她还陪我到海边去转了转，并上到冷冷清清的观海小亭上。她对我说：

"人家都是在夏天晚上来这里玩，我们却在冬天。"

亭子上风很大，我催她赶紧下来了。

我把带着不方便的东西，赠给疗养院的崔医生。其中有两支龙凤洞箫，一块石砚，据说是什么美人的画眉砚。

半夜，疗养院的同志们，把我送上开往济南的火车。

一九八四年九月三十日晨三时写讫

太　湖

　　从青岛到无锡，要在济南换车，张翔同志送我。在济南下车后，我们到大众日报的招待所去休息。在街头，我看见凡是饭铺门前，都排着很长的队，人们无声无息地站在那里，表情都是冷漠的，无可奈何的。我问张翔：

　　"那是买什么？"

　　"买菜团子。"张翔笑着，并抱怨说，"你既然看见了，我也就不再瞒你。我事先给你买了一盒点心，你却拿去送了人。"中午，张翔到报社，弄来一把挂面，给我煮了煮，他自己到街上，吃了点什么。

　　疗养院是世外桃源，有些事，因为我是病人，也没人对我细说，在青岛，我只是看到了一点点。比如说，打麻雀是听见看见了，落到大海里或是落到海滩上的，都是美丽嫩小的黄雀。这种鸟，在天津，要花一元钱才能买到一只，放在笼里养着，现在一片一片地摔死了。大炼钢铁，看到医生们把我住的楼顶上的大水箱，拆卸了下来，去交任务。可是，度荒年，疗养院也还能吃到猪杂碎。

　　半夜里，我们上了开往无锡的火车，我买的软卧。

　　当服务员把我带进车室的时候，对面一边的上下铺，已经有人睡下了，我在这一边的下铺，安排我的行李。

对面下铺，睡的是个外国男人，上面是个中国女人。

外国人有五十来岁，女人也有四十来岁了，脸上擦着粉，并戴着金耳环。

我向来动作很慢，很久，我才关灯睡下了。

对面的灯开了。女人要下来，她先把脚垂下，轻轻点着男人的肚子。我闭上了眼睛。

女人好像是去厕所，回来又是把男人作为阶梯，上去了。我很奇怪，这个男人的肚子，为什么有这么大的负荷力和弹性。

男人用英语说：

"他没有睡着！"

天亮了，那位女人和我谈了几句话，从话中我知道男的是记者，要到上海工作。她是机关派来作翻译的。

男人又在给倚在铺上的女人上眼药。不知为什么，我对这两位同车的人很厌恶，我发见列车上的服务员，对他们也很厌恶。

离无锡还很远，我就到车廊里坐着去了。后来张翔告诉我，那女人曾问他，我会不会英语，我虽然用了八年寒窗，学习英语，到现在差不多已经忘光了。

张翔把我安排在太湖疗养院，又去上海办了一些事，回来和我告别。我们坐在太湖边上。不知为什么，我忽然感到特别的空虚和难以忍受的孤独。

最初，我在附近的山头转，在松树林里捡些蘑菇，有时也到湖边钓鱼。太湖可以说是移到内地的大海。水面虽然大，鱼却不好钓。有时我就坐在湖边一块大平石上，把腿盘起来，闭着眼睛听太湖的波浪声。

我的心安静不下来，烦乱得很。我总是思念青岛，我在那里，住的时间太长了，熟人也多。在那里我虽然也感到过寂寞，但还没有像现在这样可怕。

我非常思念那位女孩子。虽然我知道，这并谈不上什么爱情。对我来说，人在青春，才能有爱情，中年以后，有的只是情欲。对那位女孩子来说，也不会是什么爱情。在我们分别的时候，她只是说：

"到了南方，给我买一件丝绸衬衫寄来吧。"

这当然也是一种情意，但可以从好的方面去解释，也可以从不大好的方面去解释。

蛛网淡如烟，蚊蚋赴之；灯光小如豆，飞蛾投之。这可以说是不知或不察。对于我来说，这样的年纪，陷入这样的情欲之网，应该及时觉悟和解脱。我把她送我的一张半身照片，还有她给我的一幅手帕，从口袋里掏出来，捡了一块石头，包裹在一起，站在岩石上，用力向太湖的深处抛去。以为这样一来，就可以把所有的烦恼，所有的苦闷，所有的思念纠缠和忏悔的痛苦，统统扔了出去。情意的线，却不是那么好一刀两断的。夜里决定了的事，白天可能又起变化。断了的蛛丝，遇到什么风，可能又吹在一起，衔接上了。

在太湖遇到一位同乡，他也是从青岛转来的，在铁路上做政治工作多年。我和他说了在火车上的见闻。他只是笑了笑，没有回答。他可能笑我又是书呆子，少见多怪。这位同乡，看过我写的小说，他有五个字的评语："不会写恋爱。"这和另一位同志的评语："不会写战争"正好成为一副对联。

在太湖，几乎没有什么可记的事。院方组织我们去游过蠡园、善卷洞。我自己去过三次梅园，无数次鼋头渚。有时花几毛钱雇一只小船，在湖里胡乱转。撑船的都是中年妇女。

一九八四年十月六日下午

鸡　缸

我们住宅后面就是南市，解放初期，那里的街道两旁，有很多小摊。每到晚上没事，我好到那里逛逛，有时也买几件旧货，价钱都是很便宜的。

有一次，我买了两个瓷缸，瓷很厚很白，上面是五彩人物、花卉，最下面还有几只雄鸡，釉色非常鲜艳。可能是用来装茶叶或糖果的，个儿很不小，我从南市抱回家中，还累得出了一身汗。抱回来，也没有多少用途，我就在里面放小米、绿豆。

"文化大革命"期间，此物和别的一些瓷器被抄走，传说我家有廿多件古董，这自然是其中之一。关于书，我心里是有底的，说有这么多古董，我却没有精神准备。这些瓷器，都是小贩们当作破烂买来的，我掏一元钱买一件，他们还算是遇到了大头。现在适逢其会，居然上升为古董，我心里有些奇怪。

这当然也是有人揭发的。我们住的是个大杂院，门口有个传达室。其中值班的，有个姓钱的老头，长年穿黑布衣服，叼着铜烟袋，不好说话，对人很是谦恭。既然是传达，当然也出入我的住室，见到了我的用具和陈设。此人造反以后，态度大变，常常对着我们住的台阶，大吐其痰。不过当时这是司空见惯的现象，是时代的自然点缀，我也不以为意，我个人是同他没有恩怨的。

冬季，我到了干校，属于牛鬼蛇神。这个姓钱的，作为"革命群众"，不久也到干校去了。有一天，他指挥着我们几个人，在院里弄煤，态度非常专横霸道。忽然，有一个同伴对他说：

"钱某某，你是什么人？你原是劝业场二楼的一个古董商，专门坑害人，隐瞒身份，混入机关。你和我们一样是牛鬼蛇神，不要在那里指手划脚的了，快脱了大衣，和我们一起干活！"

当时，我真为这位棚友捏一把汗。谁知这个姓钱的，听了以后，脸色惨白，立刻一转身，灰溜溜地钻进屋子里去了，以后再也不来领导我们。他虽然并没有从此就划入我们这个阶层，同我们去住一个棚子，但这件事，颇使我们扬眉吐气于一时，很觉得开心。

后来我想，一个古董商人，解放以后，变成了传达，内心对共产党当然是仇恨的，也就无怪对进城干部是这样的态度了。他向上级谎报我家有多少古董，也就是自然可信的了。

过了几年，书籍和瓷器都发还了。书籍丢失了一些，并有几部被人评为"珍贵"，劝我"捐献国家"。瓷器却一件没丢，也没人劝我捐献，可见都是不入流品，也不惹人喜爱的。

我把这些瓶瓶罐罐，堆放在屋子的一个角落里。一年夏天，忽然在一个破花瓶里，发现了一只死耗子，颇使人恶心。我把耗子倒出来，把花瓶送给了帮我做饭的妇女。

这两个瓷缸，我用它腌上了鸡蛋，放在厨房里。烟熏火燎，满是尘土油垢，面目皆非了。

时间过得真快，又过了几年。国家实行开放政策，与外国通商来往，旧瓷器旧文物，都大涨其价，尤其是日本人敢掏大价钱。那位妇女，消息灵通，把那只花瓶送到委托店论价，竟给十五元。还说，如果不是把人头磨损了一些，可以卖到二十元。她喜出望外，更有惜售之心，又抱回家去了，并好意地来通知我说：

"大叔，你那两个缸子，不要用它腌鸡蛋了，多么可惜呀，这可能是古董。我给你刷刷，拿到委托店去卖了吧。"

我未加可否。但也觉得，值此旧瓷器短缺之时，派以如此用场，也未免太委屈它们了。今日无事，把鸡蛋倒到别的罐子里，用温水把它们洗了洗，陈于几案。瓷缸容光焕发，花鸟像活了一样。使我不由得有一种感慨，就像从风尘里，识拔了希世奇材，顿然把它们安置在庙堂之上了。看了看缸底，还有朱红双行款：大清光绪年制。

还查了一本有关瓷器的书，这种形制的东西，好像叫做鸡缸。

这不是古董是什么！对着它们欣赏之余，因有韵文之作，其辞曰：

绘者覃精，制者兢兢，煅炼成器，希延年用。瓦全玉碎，天道难凭。未委泥沙，已成古董。茫茫一生，与瓷器同。

一九八一年十一月二十四日

高跷能手

　　干校的组织系统，我不太详细知道。具体到我们这个棚子，则上有"群众专政室"，由一个造反组织的小头头负责。有棚长，也属于牛鬼蛇神，但是被造反组织谅解和信任的人。一任此职，离"解放"也就不远了。日常是率领全棚人劳动，有的分菜时掌勺，视亲近疏远，上下其手。

　　棚是由一个柴草棚和车棚改造的，里面放了三排铺板，共住三十多个人。每人的铺位一尺有余，翻身是困难的。好在是冬天，大家挤着暖和一些。

　　我睡在一个角落里，一边是机关的民校教师，据说出身是"大海盗"；另一边是一个老头，是刻字工人。因为字模刻得好，后来自己开了一个小作坊，因此现在成了"资本家"。

　　他姓李名槐，会刻字模，却不大会写字。有一次签字画押，竟把槐字的木旁丢掉，因此，人们又叫他李鬼。

他既是工人出身，造反的工人们，对他还是有个情面的。但因为他又是由工人变成的"资本家"，为了教育工人阶级，对他进行的批判，次数也最多。

每次批判，他总是重复那几句话：

"开了一年作坊，雇了一个徒弟，赚了三百元钱，就解放了。这就是罪，这就是罪……"

大家也都听烦了。但不久，又有人揭发他到过日本，见过天皇。

这问题就严重了，里通外国。

他有多年的心脏病，不久就病倒了，不能起床。最初，棚长还强制他起来，后来也就任他一个人躺着去了。

夜晚，牛棚里有两个一百度的无罩大灯泡，通宵不灭；两只大洋铁桶，放在门口处，大家你来我往，撒尿声也是通宵不断。本来可以叫人们到棚外小便去，并不是怕你感冒，而是担心你逃走。每夜，总有几个"牛鬼蛇神"，坐在被窝口上看小说，不睡觉，那也是奉命值夜的。这些人都和造反者接近，也可以说是"改造"得比较好的。

李槐有病，夜里总是翻身、坐起，哼咳叹气，我劳动一天，疲劳得很，不得安睡，只好掉头到里面，顶着墙睡去。而墙上正好又有一个洞，对着我的头顶，不断地往里吹风。我只好团了一个空烟盒，把它塞住。

李槐总是安静不下来。他坐起来，乱摸他身下铺的稻草，这很使我恐怖。我听老人说过，人之将死，总是要摸炕席和衣边的。

"你觉得怎样，心里难过吗？"我爬起来，小声问他。

他不说话，忽然举起一根草棍，在我眼前一晃，说：

"你说这是什么草？"

他这种举动，真正吓得我出了一身冷汗。

第二天，我也病了，发高烧。经医生验实，棚长允许我休息一天，还交代给我一个任务：照顾李槐。

这一天，天气很好，没有风。阳光从南窗照进来，落到靠南墙的那一排铺上。虽然照射不到我们这一排，看一看也是很舒服的。我给李槐倒了一杯水，放在他的头前。我说：

"人们都去劳动了，屋里就是我们两个。你给我说说，你是哪一年到日本去的？"

"就是日本人占着天津那些年。"李槐慢慢坐了起来，"这并不是什么秘密，过去我常和人们念叨。我从小好踩高跷，学徒的时候，天津春节有花会，我那时年轻，好耍把，很出了点名。日本天皇过生日，要调花会去献艺，就把我找去了。"

"你看见天皇了吗？"

"看见了。不过离得很远，天皇穿的是黑衣服，天皇还赏给我们每人一身新衣服。"

他说着兴奋起来，眼睛也睁开了。

"我们扮的是水漫金山，我演老渔翁。是和扮青蛇的那个小媳妇耍，我一个跟斗……"

他说着就往铺下面爬。我忙说：

"你干什么？你的病好了吗？"

"没关系。"他说着下到地上，两排铺板之间，有一尺多宽，只容一个人走路，他站在那里拿好了一个姿势。他说：

"我在青蛇面前，一个跟斗过去，踩着三尺高跷呀，再翻过来，随手抱起一条大鲤鱼，干净利索，面不改色，日本人一片喝彩声！"

他在那里直直站着，圆睁着两只眼睛，望着前面。眼睛里放射出一种奇异多彩的光芒，光芒里饱含青春、热情、得意和自负，充满荣誉之感。

我怕他真的要翻跟斗，赶紧把他扶到铺上去。过了不多两天，他就死去了。

芸斋主人曰：当时所谓罪名，多夸张不实之词，兹不论。文化交流，当在和平共处两国平等互惠之时。国破家亡，远洋奔赴，献艺敌酋，乃可耻之行也。然此事在彼幼年之期，自亦可谅之。而李槐至死不悟，仍引以

为光荣，盖老年胡涂人也。可为崇洋媚外者戒。及其重
病垂危之时，偶一念及艺事，竟如此奋发蹈厉，至不顾
身命，岂其好艺之心至死未衰耶。

一九八一年十一月二十八日上午

王　婉

　　我和王婉在延安鲁艺时就认识了，我们住相邻的窑洞。她的丈夫是一位诗人，在敌后我们一同工作过，现在都在文学界。王婉是美术系的学生，但我没有见过她画画。他们那时有一个孩子，过着延安那种清苦的生活。我孤身一人，生活没有人照料。有一年，我看见王婉的丈夫戴着一顶新缝制的八角军帽，听说是王婉做的，我就从一条长裤上剪下两块布，请她去做。她高兴地答应，并很快地做成了，亲自给我送来，还笑着说：

　　"你戴戴，看合适吗？你这布有点儿糟了，先凑合戴吧，破了我再给你缝一顶。"

　　她的口音，带有湖南味儿，后来听说她是主席的什么亲戚，也丝毫看不出对她有什么特殊的照顾，那时都是平等的。

　　进入这个城市以后，她的丈夫和我在作协工作，她在美协和文联工作。我虽然没有见过她的作品，但她待人接物是讨人喜欢的，表现得有点天真。我有一次到她家去，看见她还很能操持家务，房间收拾得井井有条，摆在几案上的一个玻璃鱼缸，里面的贝壳、石子、水藻，清洗得很干净。他们已经有两个孩子，大女儿和我的孩子在一个小学读书。

一九五三年，文艺界出了一个案件，她的丈夫被定为"分子"。最初，我还以为不过是学术思想上的问题，在开会中间，还为她的丈夫说了不少好话，什么很有才能呀，老同志呀。过了两天，我才知道问题的严重。在我们正开会时，公安局来人，把她的丈夫逮捕了，还有人给诗人抱着铺盖和热水瓶，就是说要去坐牢。我第一次见到这种阵势，可能脸色都吓白了，好在主持会的是冀中来的一个熟人，他说：

"你身体不好，先回去吧。"

我回到家里，满腹牢骚，不断对我的老婆唠叨：

"这算什么呀！一个文艺工作者，犯了什么罪呀！"

我坐立不安，走出转进。我的老婆斥责我：

"你总是好拉横车！"

后来我知道，这一案件，近似封建社会的"钦定"大案，如果主持会的不是熟人，我因在会上说了那些不合时宜的话，也会被牵连进去。

我受了很大刺激，不久，就得了神经衰弱症。

每年过春节，文联总是要慰问病号的。还在担任秘书长的王婉，带着一包苹果，到我家来，每次都是相对默然，没有多少话说。听说主席到这个城市，曾经问过王婉是不是"分子"。那时她已经离婚。

　　"文化大革命"开始，王婉受到冲击。她去卧过一次铁轨。后来就听不到她的消息。我的遭遇很坏，不只全家被赶了出去，还被从家里叫出来，带着铺盖和热水瓶关到一个地方。我想到了王婉的丈夫被捕下楼时说的一句话："这也是生活！"我怀疑：这是生活吗？生活还要向更深的地狱坠落。

　　"文化大革命"，按照它的歇斯底里个性，疯狂地转动着，我什么消息也不知道。林彪叛逃以后，情形有些变化。这时我听说，王婉是这个城市的大红人，江青不断接见她，她掌握着这个城市的大权。听到这个消息，我没有任何反应。我不想去向任何人求救，我情愿在地狱中了此一生。但不久听说，有人向王婉汇报，说我在干校，一顿能吃两个窝窝头时，王婉曾经大笑起来。又有一位经常往王婉家里跑的老熟人告诉我：王婉曾想到我的住处看我，这位熟人告诉她，我还在被群众专政，恐怕影响不好，她就把这个主意打消了。我无动于衷，我不希望在我的心里，或是在这些新贵的心里，还有什么旧日的情谊萌动。

但随着整个形势的变化，我也算是"解放"了。有一次，王婉召见我，在市委办公大楼。那是个庄严的地方，过去我也很少去。在那里，我见到了王婉的权威。一位高级军官，全市文化口的领导，在她面前，唯唯诺诺，她说一句，他就赶紧在本子上记一句。另一位文官，是宣传口的负责人，在她身边转来转去，斟茶倒水，如同厮役。

我呆呆地坐在一边。

她问了我几句话。我也问了她一句话：

"王婉同志，你今年多大岁数了？"

她可能以为我问的是一句傻话，或者是在女人面前不大礼貌的话，她没有答声。

她叫我当了京剧团的顾问。

这一消息，在那些惯于趋炎附势，无孔不入的小人中间传开，顿时使一些人，对我的看法，有了很大的改变。

"好家伙，王婉接见了他！"

"听说在延安就是朋友呢！"

"一定要当文联主席了！"

因为被折磨得厉害，我的老伴，前不久去世了。有一位在"文化大革命"中处境艰难，正在惶惶然不可终日的老同志，竟来向我献策：

"到王婉那里去试试如何？她不是还在寡居吗？"

他是想，如果我一旦能攀龙附凤，他也就可以跳出火坑，并有希望弄到一官半职。

这真是奇异的非非之想，我没有当皇亲国戚的资格，一笑置之。我知道，这位同志，足智多谋，是最善于出坏主意的。

主席逝世，"四人帮"倒台之后，王婉被说成是江青在这个城市的代理人，送到干校，还没有怎么样，她就用撕成条条的床单，自缢身亡了。

芸斋主人曰：使王婉当年卧轨而死，彼时虽可被骂为：自绝于人民。然后日可得平反，定为受迫害者。时事推移，伊竟一步登天，红极一时，冰山既倒，床下葬命。名与恶帮相连，身与邪火俱灭。十年动乱，人生命运虽无奇不有，今日思之，实亦当时倒行逆施政治之牺牲品也。

一九八四年五月九日晨

鱼苇之事

很多年不到白洋淀去，关于菱茨鱼苇之事，印象也淡了。近日，一位妇女，闲时和我谈些她家乡的事，引起我对水乡的怀念。

她家住在 D 村。这个小地方，曾有一京二卫三 D 村之称。原来是个水旱码头，很是繁华热闹。大清河在村南流过，下水直达天津。又是一个闸口，每天黄昏，帆樯林立。旱路通往保定，是过路客商打尖的地方。我记得在同口教书时，前往保定，就是在这里吃午饭，但当时的街道市面，都忘记了。

她家很贫苦，父亲好赌博，曾在赌场上，把土改分得的地，当场卖掉，家里的人都哭了。但他有妻子和五个小孩，也要照顾一家人的衣食。一年之中，他除去赌博，不是给人家去打坯，换些粮食；就是在河边治鱼，卖些零钱。

她是头大的孩子，很小就知道为生活操劳了。她先学会编席，母亲告诫她，织席这勾当，"抬头误三根，低头一大片"，整天忙得连梳头洗脸的工夫都没有。母亲见她大疲乏、太困倦，就给她讲故事。她回忆说，那些故事，古老，冗长，千篇一律。故事中，总是有一个傻子，傻子又总是很走运，常常逢凶化吉，转危为安，娶到漂亮的媳妇，发家致富。

有一年，发了一场大水，她家的房冲倒了，搬到堤坡上，临时搭了一间小屋。秋后，水渐渐落去，河里出了鱼，全村的人，买网捕捞。买一片大缯，要一百多元，她家买不起。父亲买了几丈蚊帐布，用猪血血了，缝制了一具小缯。小网有小网的好处，除去她父亲，母亲和她都可以去搬缯捕鱼了。

鱼实在很多，特别是一种名叫石鲢的小鱼，浮满了河面。这种小鱼，一寸多长，圆身子黑花条，没有刺，油很多。炖熟了，上面漂着一层黄油，别提多香了。外地的鱼贩子都来了，就地收货加工。但因为鱼太多，后来就只收大鱼，不收小鱼。

她只好自己卤了，和大弟弟挑到上高地集市上去卖。她从小逃过荒，出过工，也作过运输，就是没有卖过东西。她看好一个地段，把鱼放在地下，和弟弟站在那里，弟弟比她还腼腆，只是低着头看着自家的鱼。赶集的人从他们眼前走过，可是没有一个人照顾他们的鱼。她想吆喝几声，心里十分害臊，喊不出来。最后还是红着脸吆喝起来：

"买鱼呀，好香的鱼！"

过了一会儿，又喊：

"买鱼呀，贱卖呀！"

终于引起了人们的注意，有几个人蹲在他们的摊子前面了。

买卖开始了，她掌秤，弟弟收钱。卖出几份以后，围上来的人更多了，你挑我拣，她简直忙不过来。她忽然看见有一张五元的票子，掉在了她的筐子下面。她看好一个空子，赶紧拣起来，扔进书包。

她很兴奋，买卖做得也很顺利，不到晌午，鱼就卖完了，一共卖了十多元。赶紧收摊，带着弟弟去赶集。

她手里有十五元钱。她手里从来没有这么多的钱，但她除去衣食二字，没有想到要买什么别的东西，她首先想到的是父亲。

"谁要这件皮袄?"

有一个老太太，提着一件破旧的短皮袄，在大声吆喝。她心里一动。天渐渐凉了，父亲一早一晚还要去河上搬缯。她只见过别人家的老人穿皮袄。她从来也没想到过自己的父亲穿皮袄，现在，好像父亲也有穿一件皮袄的份儿了。

她走上前去，摸了摸皮袄。毛色很旧，有的地方，还露着皮子。但这总是一件皮袄。她问：

"多少钱？"

"不还价，你给十五元。"老太太说。

"值吗？"

"不值，你就走你的。"老太太又吆喝起来。

她走了几步，终于又回去，把钱交给老太太，换来这件皮袄。

回家的路上，虽然天气并不冷，她还是往自己身上，披了披这件皮袄，确实暖和呀。

现在，父亲早已去世，她讲起这段事情，还很得意。

她对我说，为了不再织席，她和家在这个大城市的人结了婚，现在很少再回娘家住。那里的河，早已经干了，更不会有鱼；也没有人再织席，人们有别的致富之路了。

我听到的，好像也是一个古老的故事。

一九八六年五月二十七日

蚕桑之事

　　我的故乡，地处北方，桑树很少。只是在两家田地的中间，有时种一棵野桑，叫作桑坡，作为地界。这种桑树终生也长不高大，且常常中途死亡。因为那时土地是农民的生命线，寸土必争，两家都拼命往外耕，它的根生长延伸的机会，比被犁铧铲断的机会，要少得多。

　　如果有这种桑坡，每年春季，它也会吐出一些桑叶，当然很小，就像铜钱一样。这也是很可爱的，附近的儿童们，就会养几条小蚕，来利用、也可以说是圆满这微小得可怜的自然生态。

　　蚕儿与桑叶，天造地设，是同时出世。养蚕的规模，当然也是很小的，用一个小纸盒的盖子就可以了。养蚕的心，是很虔诚的，小盒子铺垫得温暖而干净。每天清晨，一起来就往地里跑，有时跑得很远，把桑坡上好不容易长出的几片新叶采回来，盖在小蚕的身上，把多余的桑叶，洒上点水，放在一边储存。

桑坡少有，而养蚕的伙伴又多，于是出现了供需矛盾，出现了竞争。你起得早，我比你起得更早，常常是天还不亮，小孩子们就乱往桑坡那里奔去。过不了几天，桑坡的枝条，就摧残得光秃秃，再也长不出新的叶子来了。

去镇上赶集的路上，倒是有一片大桑树，是镇上地主家经营的。树很高，叶子也大，大人们赶集路过，有时给孩子们偷摘几片，那是解决不了什么问题的。

喜剧还没演到一半，悲剧就开始了。蚕儿刚刚长大一些，正需要更多的桑叶，就绝粮了，只好喂它榆叶。榆叶有的是，无奈蚕不爱吃，眼看瘦下去，可怜巴巴的，有的饿死了，活下来的，到了时候，就有气无力地吐起丝来。

每年养蚕，最初总是有一个美丽的梦：蚕大了，给我结一张丝绵，好把墨盒装满。蚕只能结一片碗口大小的，黄白相间的，薄纸一样的绵。

和我一同养蚕的，是一个远房的妹妹。她和我同岁，住在一条街上。她性格温柔，好说好笑，和我很合得来。过年时，我们每天到三爷家的东墙去撞钟。这是孩子们的一种赌博游戏，用铜钱在砖墙上撞击，远落者投近落者，击中为胜。这种游戏，使三爷家的一面墙，疮痍满目，布满弹痕。

我们的蚕，放在一起。她答应我，她的蚕结的绵，也铺在我的墨盒里。她虽然不念书，也知道，写好了字，做好了文章，就是我的锦绣前程。她的蚕，也只能吐一片薄薄的绵。

我们的丝绵，装不满墨盒。十二岁我就离开了家。

几年前，我回了一次故乡，她热诚地看望了我。她童年的形象，在我的心里，刻划得太深太久了，以致使我几乎认不出她目前的形象。

我们都老了，我们都变了。我们都做了一场梦，就像小时候养蚕一样。

我对她诉说了，我少小离家，奔波追逐，患难余生，流落他乡，老病交加之苦。她也向我诉说了，她患了多年的淋巴结核，两个姐姐因为同样的病，都已丧生。她身体壮一些，活了下来，脖颈和胸前留下了一片大伤疤。她父亲无儿，过继了一个外甥。为了争夺财产，她上县进省，和表兄打了五六年官司，终于胜诉，人称"不好惹"。现在和公婆不和，和儿媳也不和。她大姐有一个儿子，早年参军，在新疆工作，她只身一人，去找过好几趟，来回做些买卖，人以为"能"。

她走了以后，据叔母说，她还好斗牌，输了就到田地走一趟，偷公家的大麻子或是棉花。现在老了，腿脚不灵活，就给人家说媒，有时也神仙附体。

听着这些，我的麻木了的心，几乎没有什么感慨。

是的，我们老了，每个人经历的和见到的都很多了。不要责备童年的伴侣吧。人生之路，各式各样。什么现象都是可能发生，可能呈现的。美丽的梦只有开端，只有序曲，也是可爱的。我们的童年，是值得留恋的，值得回味的。

她对我，也会是失望的。我写的文章，谈不上经国纬业，只有些小说唱本。并没有体现出，她给我的那一片片小小的丝绵，所代表的天真无邪的情意。

故乡的桑坡，和地主家的桑园，早已不见。自从离开家乡，我也很少见到桑树。在保定读书时，星期日曾到河北大学的农业试验场，偷吃过红紫肥大的桑椹。"文化大革命"时，机关大院临街的角落，有一个土堆，旁边有一棵不大的桑树。每逢开会休息时，我好到那里，静静地站立一刻，但心里想的事情，与蚕桑无关。

我养的花木中，有一棵扶桑。现在这种花，在天津已经不大时兴了。它的叶子、枝干，都像桑树。桑树皮的颜色，与蚕的颜色，一般无二，使人深深感到，造物的奇巧，自然的组合，有难言的神妙。

一九八七年七月十五日下午写讫

残瓷人

这是一个小女孩的白瓷造像。小孩梳两条小辫，只穿一条黄色短裤。她一手捧着一只小鸟，一手往小鸟的嘴中送食，这样两手和小鸟，便连成了一体。

这是我一九五一年，从国外一个小城市买回的工艺品。那时进城不久，我住在一个大院后面，原来是下人住的小屋里，房间里空空，我把它放在从南市旧货摊上买回的一个樟木盒子里。后来，又放进一些也是从旧货摊上买来的小玩意儿，成了我的百宝箱。

有一年，原在冀中的一位老战友来看我。我想起在抗日战争时期，我过封锁线，他是军分区的作战科长，常常派一个侦察员护送我，对我有过好处，一时高兴，就把百宝箱打开，请他挑几件玩意儿。他选了一对日本烧制的小花瓶，当他拿起这个小瓷人的时候，我说：

"这一件不送，我喜欢。"

他就又放下了。为了表示歉意，我送了他一张董寿平的杏花立轴，他高兴极了。

后来，我的东西多了，买了一个玻璃柜，专放瓷器，小瓷人从破木盒升格，也进入里面。"文化大革命"，全被当作"四旧"抄走了。其实柜子里，既没有中国古董，更没有外国古董。它不过是一件哄小孩的瓷器，底座上标明定价，十六个卢布。

落实政策，瓷器又发还了。这真是有组织有计划的抄家，东西保存得很好，一件也没有损失，小瓷人也很好。

我已经没有心情再玩弄这些东西，我把它们放在一个稻草编的筐子里。一九七六年大地震，我屋里的瓷器，竟没有受损，几个放在书柜上的瓶子，只是倒在柜顶上，并没有滚落下来。小瓷人在草筐里，更是平安无事。

但地震震裂了屋顶。这是旧式房，天花板的装饰很重，一天夜里下雨，屋漏，一大块天花板的边缘部分，坠落下来，砸倒了草筐，小瓷人的两只手都断了。

我几经大劫，对任何事物，都没有了惋惜心情。但我不愿有残破的东西，放在眼前身边。于是，我找了些胶水，对着阳光，很仔细地把它的断肢修复，包括几片米粒大小的瓷皮，也粘贴好了。这些年，我修整了很多残书，我发现自己在修修补补方面，很有一些天赋。如果不是现在老眼昏花，我真想到国家的文物部门，去谋个差事。

搬家后，我把小瓷人带入新居，放在书案上。不知为什么，我忽然有些伤感了。我的一生，残破印象太多了，残破意识太浓了。大的如"九一八"以后的国土山河的残破，战争年代的城市村庄的残破。"文化大革命"的文化残破，道德残破。个人的故园残破，亲情残破，爱情残破……我想忘记一切。我又把小瓷人放回筐里去了。

司马迁引老子之言：美好者不祥之器。我曾以为是哲学之至道，美学的大纲。这种想法，当然是不完整的，很不健康的。

一九九二年一月三十日下午，大风

猫鼠的故事

目前，我屋里的耗子多极了。白天，我在桌前坐着看书或写字，它们就在桌下来回游动，好像并不怕人。有时，看样子我一跺脚就可以把它踩死，它却飞快跑走了。夜晚，我躺在床上，偶一开灯，就看见三五成群的耗子，在地板、墙根串游，有的甚至钻到我的火炉下面去取暖，我也无可奈何。

有朋友劝我养一只猫。我说，不顶事。

这个都市的猫是不拿耗子的。这里的人们养猫，是为了玩，并不是为了叫它捉耗子，所以耗子方得如此猖獗。这里养猫，就像养花种草、玩字画古董一样，把猫的本能给玩得无影无踪了。

我有一位邻居，也是老干部，他养着一只黄猫，据说品种花色都很讲究。每日三餐，非鱼即肉，有时还喂牛奶。三日一梳毛，五日一沐浴。每天抱在怀里抚摩着，亲吻着。夜晚，猫的窝里，有铺的，有盖的，都是特制的小被褥。

这样养了十几年，猫也老了，偶尔下地走走，有些蹒跚迟钝。它从来不知耗子为何物，更不用说有捕捉之志了。

我还是选用了我们原始祖先发明的捕鼠工具：夹子。支得得法，每天可以打住一只或两只。

我把死鼠埋到花盆里去。朋友问我为什么不送给院里养猫的人家。我说：这里的猫，不只不捉耗子，而且不吃耗子。

这是不久以前的经验教训。我打住了一只耗子，好心好意送给邻居，说：

"叫你家的猫吃了吧。"

主人冷冷地说：

"那上面有跳蚤，我们的猫怕传染。如果是吃了耗子药，那就更麻烦。"

我只好提了回来，埋在地里。

又过了不久，终于出现了以下如果不是我亲眼所见，一定有人会认为是造谣的场面。

有一家，在阳台上盛杂物的筐里，发见了一窝耗子，一群孩子呼叫着："快去抱一只猫来，快去抱一只猫来！"

正赶上老干部抱着猫在阳台上散步，他忽然动了试一试的兴致，自告奋勇，把猫抱到了筐前，孩子们一齐呐喊：

"猫来了，猫来捉耗子了！"

老人把猫往筐里一放，猫跳出来。再放再跳，三放三跳，终于逃回家去了。

孩子们大失所望，一齐喊："废物猫，猫废物！"

老人的脸红了。他跑到家里，又把猫抱回来，硬把它按进筐里，不松手。谁知道，猫没有去咬耗子，耗子却不客气，把老干部的手指咬伤，鲜血淋淋，只好先到卫生所，去进行包扎。

群儿大笑不止。其实这无足奇怪，因为这只老猫，从来不认识耗子，它见了耗子实在有些害怕。

十年动乱期间，我曾回到老家，住在侄子家里。那一年收成不好，耗子却很多，侄子从别人家要来一只尚未断奶的小猫，又舍不得喂它，小猫枯瘦如柴，走路都不稳当。有一天，我看见它从立柜下面，连续拖出两只比它的身体还长一段的大耗子，找了个背静地方全吃了。这就叫充分发挥了猫的本能。

其实，这个大都市，猫是很多的。我住的是个大杂院，每天夜里，猫叫为灾。乡下的猫，是二八月到房顶上交尾，这里的猫，不分季节，冬夏常青。也不分场合，每天夜里，房上房下，窗前门后，互相追逐，互相呼叫，那声音悲惨凄厉，难听极了：有时像狼，有时像枭，有时像泼妇刁婆，有时像流氓混混儿。直至天明，还不停息。早起散步，还看见一院子是猫，发情求配不已。

这样多的猫在院里，那样多的耗子在屋里，这也算是一种矛盾现象吧？

城狐社鼠，自古并称。其实，狐之为害，远不及鼠。鼠形体小，而繁殖众，又密迩人事，投之则忌器，药之恐误伤，遂使此蕞尔细物，子孙繁衍，为害无止境。幼年在农村，闻父老言，捕田鼠缝闭其肛门，纵入家鼠洞内，可尽除家鼠。但做此种手术，易被咬伤手指，终于未曾实验。

一九八三年四月五日

晚秋植物记

白蜡树

庭院平台下，有五株白蜡树，五十年代街道搞绿化所植，已有碗口粗。每值晚秋，黄叶飘落，日扫数次不断。余门前一株为雌性，结实如豆荚，因此消耗精力多，其叶黄最早，飘落亦最早，每日早起，几可没足。清扫落叶，为一定之晨课，已三十余年。幼年时，农村练武术者，所持之棍棒，称做白蜡杆。即用此树枝干做成，然眼前树枝颇不直，想用火烤制过。如此，则此树又与历史兵器有关。揭竿而起，殆即此物。

石　榴

前数年买石榴一株，植于瓦盆中。树渐大而盆不易，头重脚轻，每遇风，常常倾倒，盆已有裂纹数处，然尚未碎也。今年左右系以绳索，使之不倾斜。所结果实为酸性，年老不能食，故亦不甚重之。去年结果多，今年休息，只结一小果，南向，得阳光独厚。其色如琥珀珊瑚，晶莹可爱，昨日剪下，置于橱上，以为观赏之资。

丝　瓜

我好秋声，每年买蝈蝈一只，挂于纱窗之上，以其鸣叫，能引乡思。每日清晨，赴后院陆家采丝瓜花数枚，以为饲料。今年心绪不宁，未购养。一日步至后院，见陆家丝瓜花，甚为繁茂，地下萎花亦甚多。主人问何以今年未见来采，我心有所凄凄。陆，女同志，与余同从冀中区进城，亦同时住进此院，今皆衰老，而有旧日感情。

瓜　蒌

原为一家一户之庭院，解放后，分给众家众户。这是革命之必然结果。原有之花木山石，破坏糟蹋完毕，乃各占地盘，经营自己之小房屋，小菜园，小花圃，使院中建筑地貌，犬牙交错，形象大变。化整为零，化公为私，盖非一处如此，到处皆然也。工人也好，干部也好，多来自农村，其生活方式，经营思想，无不带有农民习惯，所重者为土地与砖瓦，观庭院中之竞争可知。

我体弱，无力与争。房屋周围之隙地，逐渐为有劳力、有心计者所侵占。惟窗下留有尺寸之地。不甘寂寞，从街头购瓜蒌籽数枚，植之。围以树枝，引以绳索，当年即发蔓结果矣。

幼年时，在乡村小药铺，初见此物。延于墙壁之上，果实垂垂，甚可爱，故首先想到它。当时是独家经营的新品种，同院好花卉者，也竞相种植。

东邻李家，同院中之广种薄收者也。好施肥，每日清晨从厕所中掏出大粪，倾于苗圃，不以为脏。从医院要回瓜蒌秧，长势颇壮，绿化了一个方面。他种的瓜蒌，迟迟不结果，其花为白绒状，其叶亦稍不同，众人嘲笑。李家坚信不移，请看来年，而来年如故。一王姓客人过而笑曰：此非瓜蒌，乃天花粉也，药材在根部。此客号称无所不知。

我所植，果实逐年增多，李家仍一个不结。我甚得意，遂去破绳败枝，购置新竹竿搭成高大漂亮架子，使之向空中发展，炫耀于众。出乎意外，今年亦变为李家形状，一个果也没有结出。

幸有一部《本草纲目》，找出查看。好容易才查到瓜蒌条，然亦未得要领，不知其何以有变。是肥料跟不上，还是日光照射不足？是种植几年，就要改种，还是有什么剪枝技术？书上都没有记载。只是长了一些知识：瓜蒌也叫天花粉，并非两种。王客所言，也是只知其一，不知其二。

然我之推理，亦未必全中。阳光如旧并无新的遮蔽。肥料固然施得不多，证之李家，亦未必因此。如非修剪无术，则必是本身退化，需要再播种一次新的种子了。

种植几年，它对我不再是新鲜物，我对它也有些腻烦。现在既不结果，明年想拔去，利用原架，改种葡萄。但书上说拔除甚不易，其根直入地下，有五六尺之深。这又不是我力所能及的了。

灰　菜

庭院假山，山石被人拉去，乃变为一座垃圾山。我每日照例登临，有所凭吊。今年，因此院成为脏乱死角，街道不断督促，所属机关，才拨款一千元，雇推土机及汽车，把垃圾运走。光滑几天，不久就又砖头瓦块满地，机关原想在空地种些花木，花钱从郊区买了一车肥料，卸在大门口。除院中有心人运些到自己葡萄架下外，当晚一场大雨，全漂到马路上去了。

有一户用碎砖围了一小片地，扬上一些肥料。不知为什么没有继续经营。雨后野草丛生，其中有名灰菜者，现在长到一人多高，远望如灌木。家乡称此菜为"落绿"，煮熟可作菜，余幼年所常食。其灰可浣衣，胜于其他草木灰。故又名灰菜。生命力特强，在此院房顶上，可以长到几尺高。

一九八五年十月八日

书　信

　　自古以来书信作为一种文体，常常编入作家们的文集之中。书与信字相连，可知这一文体的严肃性。它的主要特点，是传达一种真实的信息。

　　古代的历史著作，也常常把一个人物的重要信件，编入他的传记之内。

　　古代，书信的名号很多，有上书，有启，有笺，有书……各有讲究。《昭明文选》用了几卷的篇幅收录了这些文章。历代文学总集，也无不如此。

　　如此说来，书信一体，实在是不可玩忽的一种文学读物了。过去书市中也有供人学习应酬文字的尺牍大观，那当然不在此列。

　　在中学读书时，我读过一本高语罕编的"白话书信"，内容已经记不清。还读过一本"八贤手札"，则是清朝咸同时期，镇压太平天国的那些大人物的往来信札，内容也记不清了。只记得那些信的称呼，很复杂也很难懂。

书信这一文体，我可以说是幼而习之的。在外面读书做事，总是要给家中写信的。所用的文字当然是解放了的白话。这些家信无非是报告平安，没有什么特殊的内容。经过几次变乱，可以说是只字不存了。

在保定读书时，我认识了本城一个女孩子，她家住在白衣庵一个大杂院里。我每星期总要给她写一封信，用的都是时兴的粉色布纹纸信封。我的信写得都很长，不知道从哪里来的那么多热情的话。她家生活很困难，我有时还在信里给她附一些寄回信的邮票。但她常常接不到我寄给她的信，却常常听到邮递员对她说的一些不三不四的话。我并不了解她的家庭，我曾几次在那个大杂院的门口徘徊，终于没有进去。我也曾到邮政局的无法投递的信柜里去寻找，也见不到失落的信件。我估计一定是邮递员搞的鬼。我忘记我给她写了多少封信，信里尽倾诉了什么感情。她也不会保存这些信。至于她的命运，她的生存，已经过去五十年，就更难推测了。

在晋察冀边区工作，我曾给通讯员和文学爱好者，写过不少信，文字很长，数量很大，但现在一封也找不到了。

一九四四年秋天，我在延安窑洞里，用从笔记本撕下的一片纸，写了一封万金家书。我离家已经六七年了，听人说父亲健康情况不好，长子不幸夭折，我心里很沉重。家乡还被敌人占据着，寄信很危险。但我实在控制不住对家庭的思念，我在这片白纸的正面，给父亲写了一封短信；在背面，给妻子写了几句话。她不认识字，父亲会念给她听。

这封信我先寄给在晋察冀工作的周小舟同志，烦他转交我的家中。一九四六年，我回到家里，妻子告诉我，收到了这封信。在一家人正要吃午饭的时候收到的这封信，父亲站在屋门口念了，一家人都哭了。我很感谢我们的交通站和周小舟同志，我不知道千里迢迢，关山阻隔，敌人封锁得那么紧，他们怎样把这封信送到了我的家。

这封信的内容，我是记得的，它的每句话都是有用的，有千斤重量的，也没保存下来。

一九七○年十月起，至一九七二年四月，经人介绍，我与远在江西的一位女同志通信。发信频繁，一天一封，或两天一封或一天两封。查记录：一九七一年八月，我寄出去的信，已达一百一十二封。信，本来保存得很好，并由我装订成册，共为五册。后因变故，我都用来生火炉了。

这些信件，真实地记录了我那几年动荡不安的生活，无法倾诉的悲愤，以及只能向尚未见面的近似虚无缥缈的异性表露的内心。一旦毁弃了是很可惜的，但当时也只有这样付之一炬，心里才觉得干净。潮水一样的感情，几乎是无目的地倾泻而去，现在已经无法解释了。

自从"文化大革命"开始，断绝了写作的机会，从与她通讯，才又开始了我的文字生活，这是可以纪念的。这些信，训练了我久已放下了的笔，使我后来能够写文章时，手和脑并没有完全生疏、迟钝。这也可以说是失之东隅，收之桑榆吧。至于解放前后，我写给朋友们的信件，经过"文化大革命"，已所剩无几。这很难怪，我向来也不大保存朋友们的来信，但在"文化大革命"以前，曾在书柜里保存康濯同志的来信，有两大捆，约二百余封。"文化大革命"期间，接连不断地抄家，小女儿竟把这些信件烧毁了。太平以后，我很觉得对不起康濯同志，把详情告诉了他。而我写给他的信，被抄走，又送了回来，虽略有损失，听说还有一百多封。这可以说是迄今保存的我的书信的大宗了。他怎样处理这些信件，因为上述原因，我一直不好意思去过问。

先哲有言，信件较文章更能传达人的真实感情，更能表现本来面目。看来，信件的能否保存，远不及文章可靠。文章如能发表，即使是油印、石印，也是此失彼存，有希望找到的。而信件寄出，保存与否，已非作者所能处置。遇有变故，最易遭灾，求其幸存，已经不易。况时过境迁，交游萍水，难以求其究竟乎！

一九八三年十月十六日

野味读书

我一生买书的经验是：

一、进大书店，不如进小书铺。进小书铺，不如逛书摊。逛书摊，不如偶然遇上。

二、青年店员，不如老年店员。女店员，不如男店员。

我曾寒酸地买过书：节省几个铜板，买一本旧书，少吃一碗烩饼。也曾阔气地买过书：面对书架，只看书名，不看价目，随手抽出，交给店员，然后结账。经验是：寒酸时买的书，都记得住。阔气时买的书，读得不认真。读书必须在寒窗前，坐冷板凳。

解放战争时期，我在河间工作，每逢集日，在大街的尽头，有一片小树林，卖旧纸的小贩，把推着的独轮车，停靠在一棵大柳树上，坐在地上吸烟。纸堆里有些破旧书。有一次，我买到两本《孽海花》，是原版书，只花很少钱。也坐在树下读起来，直到现在，还感到其味无穷。

另外，冀中邮局，不知为什么代存着一些土改时收来的旧书，我去翻了一下，找到好几种亚东图书馆印的白话小说，书都是新的，可惜配不上套，有的只有上册，有的只有下册。我也读了很久。

我在大官亭做土改，有一天，到一家扫地出门的地主家里，在正房的满是灰尘的方桌上面，放着一本竹纸印的《金瓶梅》，我翻了翻，又放回原处。那时纪律很严，是不能随便动胜利果实的。现在想来，可能是明版书。贫农团也不知注意，一定糟蹋了。

冀中导报社地上，堆着一些从纪晓岚老家弄来的旧书，其中有内府刻本《全唐诗》。我从里面拆出乐府部分，装订成四册。那时，我对民间文艺有兴趣，因此也喜欢古代乐府。这好像不能说是窃取，只能说是游击作风。那时也没有别的人爱好这些老古董。

至于更早年代的回忆，例如在北平流浪时，在地摊上买一些旧杂志，在保定紫河套买一些旧书，也都有过记述，就不再多说了。

前代学者，不知有多少人，记述在琉璃厂、海王村、隆福寺买书的盛事。其实，那也都是文章，真正的闲情、乐趣，也不见得就有那么多。只是文人无聊生活的一种点缀，自我陶醉而已。不过，读书与穷愁，总是有些相关的。书到难得时，也才对人有大用处。"文革"以后，我除红宝书外，一无所有，向一位朋友的孩子，借了两册大学汉语课本，逐一抄录，用功甚勤。现在笔记本还在手下。计有：《论语》、《庄子》、《诗品》、《韩非子》、《法言》、《汉书》、《文心雕龙》、《宋书》、《史通》等书的断片，以及一些著名文章的全文。自拥书城时，是不肯下这种功夫的。读书也是穷而后工的。

所以，我对野味的读书，印象特深，乐趣也最大。文化生活和物质生活一样，大富大贵，说穿了，意思并不大。山林高卧，一卷在手，只要惠风和畅，没有雷阵雨，那滋味倒是不错的。

可怀念的游击年代！

读书究竟有用无用，这是很难说清楚的。要看时势和时机。汉高祖在攻打天下的时候，主张读书无用论。他侮辱书生，在他们的帽子里撒尿。这是做给那些乌合之众、文盲战士们看的，讨得他们的欢心，帮他打天下。等到做了皇帝，又说"过去为非"，自己也读书也做文章了。这也是为了讨好那些儒生，帮他安定天下，才这样做的。

总之，读书一直被看作一种功利手段，因此，读书人也就只能碰运气了。

一九九二年四月十三日

我的读书生活

　　最近，北京一位朋友，独创新论，把我的创作生活，划为四个阶段。我觉得他的分期，很是新颖有意思。现在回忆我的读书生活，也按照他的框架，分四期叙述：

　　一、中学六年，为第一期。

　　当然，读课外书，从小学就开始了。在村中上初小，我读了《封神演义》和《红楼梦》。在安国县上高小，我开始读新文学作品和新杂志，但集中读书，还是在保定育德中学的六年。

　　那时中学，确是一个读书环境。学校收费，为的是叫人家子弟多读些书；学生上学，父母供给不易，不努力读书，也觉得于心有愧。另外，离家很远，半年才得回去一次。整天吃住在学校，不读书，确实也难打发时光。特别是在高中二年，功课不那么紧，自己的学识，有了些基础，读书眼界也开阔了一些，于是就把大部分时间，用在读书上。读书的方式，一是到阅览室看报、看杂志。二是在图书馆借阅书籍。三是少量购买。读书兴趣，初中时为文艺作品，高中时为哲学、政治经济学和新的文艺理论。

中学时期，记忆力好，读过的书，能够记得大概，对后来有用处。

二、毕业后流浪和做事，为第二期。

在北平流浪、做事，断断续续，有三年时间，主要也是读书。逛市场，逛冷摊，也算是读书的机会。有时买本杂志，买本心爱的书，带回公寓看，那是很专心的。后来到安新县同口镇小学教书一年，教务很忙，当一个班的级任，教三个班的课，看两个班的作文，夜晚还得要读些书，并做笔记。挣钱虽少，买书算是第一用项。

三、抗日战争和解放战争，为第三期。

这合起来是十一个年头。读书，也只能说是游击式的，逮住什么就看点什么，说什么时候集合，就放下不读。书也多是房东家的，自己也不愿多带书，那很累人。

在延安一年多，生活比较安定，鲁艺有个图书室，借读了一些书。

这十一年中，当然谈不上买书。

四、进城四十多年，为第四期。

进城后，大量买书，已时常记在文字，不细说。其间又分几个小阶段：

初期，还买一些新的文艺书，后遂转为购置旧书。购旧书，先是买新印的；后又转为买石印的、木板的。

先是买笔记小说，后买正史、野史。以后又买碑帖、汉画像、砖、铜镜拓片。还买出土文物画册，汉简汇编一类书册。总之是越买离本行越远，越读不懂，只是消磨时间，安定心神而已。

石印书、木板书，一般字体较大，书也轻便，对老年人来说，已是难得之物，所以我还是很爱惜它们。这些书，没有标点，注释也很简单，读时费力一些，但记得准确。现在，有些古书，经专家注释，本来很薄的一本，一下涨成了很厚的一册。正文夹在注释中间，如沉入大海，寻觅都难。我觉得这是喧宾夺主。古人注书，主张简要，且夹注在正文之间，读起来方便。另外，什么都注个详细，对读者也不一定就好。应该留些地方，叫读者自己去查考，渐渐养成治学的本领。我这种想法，不知当否？

我的读书，从新文艺转入旧文艺；从新理论转到旧理论；从文学转到历史。这一转化，也不知道是怎么形成的。这只是个人经历，不足为法。

我近年已很少买书，原因是，能买到的，不一定想看；想看的，又买不起。大部头的书，没地方安置，也搬拿不动了。

虽然买了那么多旧书，中国古典散文、诗歌，读得多些。词、曲，读得并不多。特别是宋词，中学时买过一些，现存的《全宋词》，《六十名家词》，都捆放在那里，未能细读。元曲也是这样，《六十种曲》、《元曲选》，买来都未细读。只是在中学时，迷恋过一阵《西厢记》和《牡丹亭》。这两种剧本，经我手，不知买过多少次。赋也不大喜欢读。近年在读《汉书》时，才连带读上一遍，也记不住了。

　　人的一生，虽是爱书的人，书也实在读不了多少，所以我劝人读选本。老年，对书的感情，也渐渐淡了，远了。

　　平生读书是为了增加知识，探求文采。不读浅薄无聊之书，不看下流黄色小说，不在这上面浪费时光。一经发现，便不屑再顾。这绝非欺人之谈。

　　总之，青年读书，是想有所作为，是为人生的，是顺时代潮流而动的。老年读书，则有点像经过长途跋涉之后，身心都有些疲劳，想停下桨橹，靠在河边柳岸，凉爽凉爽，休息一下了。

一九九二年三月

告　别
——新年试笔

书　籍

　　我同书籍，即将分离。我虽非英雄，颇有垓下之感，即无可奈何。

　　这些书，都是在全国解放以后，来到我家的。最初零零碎碎，中间成套成批。有的来自京沪，有的来自苏杭。最初，我囊中羞涩，也曾交臂相失。中间也曾一掷百金，稍有豪气。总之，时历三十余年，我同它们，可称故旧。

　　十年浩劫，我自顾不暇，无心也无力顾及它们。但它们辗转多处，经受折磨、潮湿、践踏、撞破，终于还是回来了。失去了一些，我有些惋惜，但也不愿再去寻觅它们，因为我失去的东西，比起它们，更多也更重要。

它们回到寒舍以后，我对它们的情感如故。书无分大小、贵贱、古今、新旧，只要是我想保存的，因之也同我共过患难的，一视同仁。洗尘，安置，抚慰，唏嘘，它们大概是已经体味到了。

近几年，又为它们添加了一些新伙伴。当这些新书，进入我的书架，我不再打印章，写名字，只是给它们包裹一层新装，记下到此的岁月。

这是因为，我意识到，我不久就会同它们告别了。我的命运是注定了的。但它们各自的命运，我是不能预知，也不能担保的。

字　画

我有几张字画，无非是吴、齐、陈的作品，也即近代世俗之所爱，说不上什么稀世的珍品。这些画，是六十年代初，我心血来潮，托陈乔同志在北京代购的，那时他任中国历史博物馆副馆长，据说是带了几位专家到画店选购的，当然是不错的了。去年陈乔来家，还问起这几张画来。我告诉他"文化大革命"时，抄是抄去了，但人家给保存得很好，值得感谢。这些年一直放在柜子里，也不知潮湿了没有，因为我对这些东西，早已经一点兴趣也没有了。陈说：不要糟蹋了，一幅画现在要上千上万啊！我笑了笑。什么东西，一到奇货可居，万人争购之时，我对它的兴趣就索然了。我不大看洛阳纸贵之书，不赴争相参观之地，不信喧嚣一时之论。

当代画家，黄冑同志，送给过我两张毛驴，吴作人同志给我画过一张骆驼，老朋友彦涵给我画了一张朱顶红，是因为我请他向画家们求画，他说，自从批"黑画展"以后，画家们都搁笔不画了，我给你画一张吧。近些年，因为画价昂贵，我也不敢再求人作画，和彦涵的联系也少了。

值得感谢的，是许麟庐同志，他先送我一张芭蕉，"四人帮"倒台以后，又主动给我画了一张螃蟹、酒壶、白菜和菊花。不过那四只螃蟹，形象实在丑恶，肢体分解，八只大腿，画得像一群小雏鸡。上书：孙犁同志，见之大笑。

天津画家刘止庸，给我写了一副对联，虽然词儿高了一些，有些过奖，我还是装裱好了，张挂室内，以答谢他的厚意。

我向字画告别，也就意味着，向这些书画家告别。

瓶　罐

进城后，我在早市和商场，买了不少旧瓷器，其中有一些是日本瓷器。可能有些假古董，真古董肯定是没有的。因为经过抄家，经过专家看过，每个瓶底上，都贴有鉴定标签，没有一件是古瓷。

不过，有一个青花松竹的瓷罐，原是老伴外婆家物，祖辈相传，搬家来天津时，已为叔父家拿去，后来听说我好这些东西，又给我送来了。抄家时，它装着糖，放在橱架上，未被拿走。经我鉴定，虽然无款，至少是一件明瓷。可惜盖子早就丢失了。

这些瓶瓶罐罐，除去孩子们糟蹋的以外，尚有两筐，堆放在闲屋里。

字　帖

原拓只有三希堂。丙寅岁拓，并非最佳之本。然装潢华贵，花梨护板，樟木书箱，似是达官或银行家物。尚有写好的洒金题签，只贴好一张，其余放在箱内。我买来也没来得及贴好，抄家时丢失了。此外原拓，只有张猛龙碑、龙门二十品等数种，其余都是珂罗版。

汉碑、魏碑，我是按照《艺舟双楫》和《广艺舟双楫》介绍购置的，大体齐备。此外有淳化阁帖半套及晋唐小楷若干种。唐隶唐楷及唐人写经若干种。

罗振玉印的书，我很喜欢，当作字帖购买的有：祝京兆法书，水拓鹤铭，世说新书，智永千文，六朝墓志菁华等。以他的六朝墓志，校其他六朝帖，就会发现，因墓志字小形微，造假者多有。

我本来不会写字，近年也为人写了不少，现在很后悔。愿今后一笔一画，规规矩矩，写些楷字，再有人要，就给他这个，以示真相。他们拿去，会以为是小学生习字，不屑一顾，也就不再来找我了。人本非书家，强写狂乱古怪字体，以邀书家之名；本来写不好文章，强写得稀奇荒诞，以邀作家之名；本来没有什么新见解，故作高深惊人之词，以邀理论家之名，皆不足取。时运一过，随即消亡。一个时代，如果艺术，也允许作假冒充，社会情态，尚可问乎。

印　章

还有印章数枚，且有名家作品。一名章，阳文，钱君匋刻，葛文同志代求，石为青田，白色，马纽。一名章，阴文，金禹民作，陈肇同志代求，石为寿山；一藏书章，大卣作，陈乔同志代求，石为青田，酱色。

近几年，一些青年篆刻爱好者，也为我刻了一些图章。

其实，我除了写字，偶尔打个印，壮壮门面外，在书籍上，是很少盖印了，前面已经提到。古人达观者，用"曾在某斋"等印，其实还有恋恋之意，以为身后，还是会有些影响，这同好在书上用印者，只有五十步之差。不过，也有一点经验。在"文化大革命"时，我有一部《金瓶梅》被抄去，很多人觊觎它，终于是归还了，就是因为每本封面上，都盖有我的名章。印之为物，可小觑乎？

镇 纸

我还有几件镇纸。其中，张志民送我一副人造大理石的，色彩形制很好。柳溪送我一只大理出的，很淡雅。最近杨润身又送我一只，是他的家乡平山做的，很朴厚。

我自己有一副旧玉镇纸，是用六角钱从南市小摊上得到的。每只上刻四个篆字，我认不好。陈乔同志描下来，带回北京，请人辨认。说是："不惜寸阴，而惜尺璧"八个字。陈说，不要用了。

其实，我也很少用这些玩意儿，都是放在柜子里。写字时，随便用块木头，压住纸角也就行了。我之珍惜东西，向有乡下佬吝啬之誉。凡所收藏，皆完整如新，如未触手。后人得之，可证我言。所以有眷恋之情，意亦在此。

以上所记，说明我是玩物丧志吗？不好回答。我就是喜爱这些东西，它们陪伴我几十年。一切适情怡性之物，非必在大而华贵也。要在主客默契，时机相当。心情恶劣，虽名山胜水，不能增一分之快，有时反更添愁闷之情。心情寂寞，虽一草一木也可破闷解忧，如获佳侣。我之于以上长物，关系正是如此。现在分别了，不是小别，而是大别，我无动于衷吗？也不好回答。"文化大革命"时，这些东西，被视为"四旧"，扫荡无余。近年，又有废除一切旧传统之论，倡言者，追随者，被认为新派人物。后果如何，临别之际，也就顾不得那么许多了。

一九八七年一月七日记

芸斋琐谈

谈赠书

青年时，每出一本书，我总是郑重其事，签名赠给朋友们，同事们，师长们。这是青年时的一种兴致，一种想法，一种情谊。后来我病了，无书可赠，经过"文化大革命"，这种赠书的习惯，几乎断绝。

这几年，我的书接连印了不少，我很少送人。除去出版社送我的二十本，我很少自己预定。我想：我所在地方的党政领导，文化界名流，出版社早就送去了，我用不着再送，以免重复。朋友们都上了年岁，视力不佳，兴趣也不在这上面，就不必送了。我的书大都是旧作，他们过去看过，新写的文章，没有深意，他们也不会去看的。

当然也有例外。近些年来有的同志，把书看成一种货物，一种交换品，或者说是流通品。我有一位老战友，从外地调到本市，正赶上《白洋淀纪事》重印出版。他先告诉我，给他在北京的小姨子寄一本，我照地址寄去了。他要我再送他一本，他住招待所，他把书送给了服务员。他再要一本，我又在书上签了名。他拿着书到街上去了。年纪大了尿频，他想找个地方小便。正好路过我所在的机关，他把书交给传达室说："我刚从某某那里出来，他还送我一本书哩。你们的厕所在什么地方？"

等他小解出来，也不再要那本书，扬长走去了。

传达室问："书哩？"

"你们看吧！"他摆摆手。他是想用这本书拉上关系，永远打开这座方便之门。

老战友直言不讳告诉我这些事。我作何感想？再赠他书，当然就有些戒心了，但是没有办法。他消息灵通，态度执着，每逢我出了书，还是有他的份。至于他怎样去处理，只好不闻不问。

这些年，素不相识的人，写信来要书的也不少。一般的，我是分别对待。对于那些先引证鲁迅如何在书店送书给青年等等范例的人，暂时不送。非其人而责以其人之事，不为也。对于那些先对我进行一大段吹捧，然后要书的人，暂时也不送。我有时看出：他这样的信，不只发向我一人。对于用很大篇幅，很多细节描述自己如何穷困，像写小说一样的人，也暂时不送。我想，他何不把这些心思，这些力量，用去写自己的作品？

我不是一个慷慨的人，是一个吝啬的人；不是一个多情的人，是一个薄情的人。

但是，对于那些也是素不相识，信上也没有向我要书，只是看到他们的信写得清楚，写得真挚；寄来的稿子，虽然不一定能够发表，但下了功夫，用了苦心的青年人，我总是主动地寄一本书去。按照他们的程度，他们的爱好，或是一本小说，或是一本散文，或是一本文论。如果说，这些年，我也赠过一些书，大部分就是送给这些人了。我觉得这样赠书，才能书得其所，才能使书发挥它的作用，得到重视和爱护。

我是穷学生出身，后又当薪给微薄的村塾教师，爱书爱了一辈子。积累的经验是：只有用自己劳动所得买来的书，才最知爱惜，对自己也最有用。公家发给的书，别处来的材料，就差一些。

鲁迅把别人送给他的书，单独放在一个书柜里。自己印了书，郑重地分赠学生和故交，这是先贤的古道。我虽然把别人送我的书，也单独放在一个书架上，却是开放的，孩子们和青年朋友们，可以随便翻阅，也可以拿走，去古道就很远了。

许寿裳和鲁迅是至交。鲁迅生前有新著作，总是送他一本的。鲁迅逝世之后，许寿裳向许广平要一本鲁迅的书，总是按价付款。这时许广平的生活，已经远不如鲁迅生前。这也是一种古道。

四川出版了我的小说选，那里的编辑同志，除赠书二十册外，又热情地代我买了五十册。我收到这些书以后，想到机关同组的同志，共事多年，应该每人送一本。书送去以后，竟争相传言：某某在发书，你快去领吧！

像那些年发材料一样热闹，使我非常败兴，就再也不愿做这种傻事了。

一九八四年十月二十二日

谈通俗文学

目前，通俗文学大兴，谈论通俗文学的文章，也多起来了，这是一个新势头。

按说，通俗，应该是一切文学作品的本质，不可缺少的属性。不知从什么时候起，文学作品被分为通俗的与不通俗的了。

关于文学的起源有种种说法。最初的文学是口头文学，这是没有争议的。既是口头文学，它的产生和后来的文字记录，都不存在通俗不通俗的问题。

中国的口头文学，包括说唱文学，从产生以后，一直持续下来，并没有中断过。文学史上说，"说话"这一形式，唐代已有，至宋而大兴，不过是就已有的文字记载而言。古人既然把小说，说成是街谈巷议，那就随时随地，都可以产生小说，而且都是通俗的作品。

口头文学，是通俗文学的最初的形式，也是最基本的形式，包括后来的"话本"和"拟话本"，章回小说和演义小说。

口头文学虽然有天然的通俗禀赋，但并不是每篇作品都可以成功。有很多口头文学，随生随灭，行之不远。只有少数，记录为文字，才得以流传。宋人话本小说，最为著称。现存的七个短篇，几乎不用修饰润色，就已经是完整的文学作品。

有的最初流传的文字粗糙，经后来的大作家重新编写，成为新的通俗文学。如在《三国志平话》基础上，写出的《三国演义》；在《三藏取经诗话》基础上，写出的《西游记》；在《宣和遗事》基础上，渐渐演变成的《水浒》等等。这些作品的文学水平，大大超越了它的口头阶段，它的通俗的效用，也大大增强，大大推广了。

口头文学向文字创作的这一演变，成为每一个民族文学遗产形成和积累的规律。

典雅的唐人传奇小说，有的也是根据口头文学改写而成。白行简的《李娃传》，就是根据作者幼年听来的故事，写出来的。口头文学，一变而为古文传奇，可以说是从通俗变得不通俗了。但是，经过这一创作，才使这一题材流传千古。而最初的口头故事，早已失传。其"通俗"的范围，也可以说是加大了。当然因改编者才力不等，失败之作也不少。文学规律千变万化，不能刻舟求剑。

自宋迄清，通俗小说甚多，据专家著录，小说名目，有八百余种，还都是有过刻本的。流传下来的，却非常寥寥。我幼年时，在乡村庙会所见，书摊陈列的石印劣纸小字通俗小说，包括供说唱用的小说，也不过十几种。后来进入城市，在学校图书馆或书市所见，通俗小说的种类也很少。可见所谓通俗小说，大多数寿命很短，以后就消亡了。

考其原因，这些作品，出自两途：一为说书艺人，艺人胆大，兴到之处，时有发挥；一为失意文士，泥于史实，囿于理教，所作多酸腐。这两种人，多数学识浅薄，文字修养薄弱。其写作的目的，只是为了糊口，度过一时的生活困难。虽极力迎合群众的低级趣味，因为实在缺乏文学吸引力，不能受到欢迎。

其次，旧社会读书识字的人很少，花钱买书的人就更少。有能力读书并有钱买书的人，对书籍还要选择一下。不识字的人，即使写得多么通俗，也还要借助说讲演唱。如果写得干燥无味，艺人们也不会选用。

通俗小说，过去也被称做闲书，是为了叫人消愁解闷的。消愁解闷，也需要一定的艺术手段。人世间，不会有真正的闲书，正如没有真正的净土一样。真正的闲书，是没有人看的，也不会存在。

通俗文学，是一种文学，它标榜的是："话须通俗方传远，语必关风始动人。"在艺术上，也是不厌其高，只厌其低的。《三国演义》、《水浒传》，都是通俗文学，也被公认是民族文学的高峰。任何艺术，都需要通俗，都需要雅俗共赏。通俗文学，不应该是文学作品的自贬身价的口实。

每个时代，都有远见卓识的文人，为文学的通俗而努力。在理论和创作实践上，都有过重大的贡献，许多作家的文集，都编入他们所写的通俗作品。在政治变革时期，通俗文学尤其为人重视。例如清朝末年，梁启超的文学主张，以及他所写的政治小说。

"五四"新文学，实际是文学总体上的一次通俗运动。"左联"时期，推动了文学的大众化。"九一八"事变以后，瞿秋白同志写了很多通俗文学作品，抗日战争时期，解放区的文学，在通俗方面作了极大的努力，成绩也很可观。

"五四"以后，传统的通俗文学，并不兴旺。"五四"新文学运动，文学语言解放了，大大消除了通俗不通俗的界限。但在创作方法上有些欧化，提倡的是现实主义，内容上是启蒙主义。所有封建迷信，神秘怪诞，才子佳人，武侠剑客，都在排斥之列。通俗小说的市场很小，只有大城市的一些商业小报，连载一些章回体小说，一些新兴的书店，很少出版陈列这类作品。革命的文艺读物，几乎拥有了全部青年。

无论是梁启超，还是瞿秋白写的通俗文学作品，在当时的作用和后来的影响，都是很有限的。它们既为知识分子层所忽略，也不为广大群众所欣赏。这有几方面的原因：一是作者把这种形式，当成是一种纯政治的宣传。二是把通俗与不通俗，看成是单纯形式上的问题。三是对群众的理解和欣赏能力，估计太低。基于以上认识，使他们创造出来的通俗文学作品，常常流于粗糙概念，缺乏艺术的感染力量。

目前通俗文学作品的突起，有它历史的特殊遭遇。这是十年动乱，文化传统濒于破产，和长期以来思想禁锢的结果。是对过去的一种反动，是一个回流。目前的通俗文学的特点，不在于形式上的仿古，而在于内容的陈旧，还谈不上什么新的内容和新的创造，它只是把前一个时期不许启动的食品橱门，突然打开了而已。这一开放，可能使各式各样的政治概念化的作品受到冲击，但如果说，它会冲垮传统的现实主义文学，那就是过分夸大了。随着人民群众文化修养的提高，现有的通俗文学，自然要受到历史的检验。因为对文学艺术的鉴赏能力，是和文化修养，甚至也和道德伦理修养，一同向前，一同向上的。

它对出版事业的影响，也是如此。不从长远的文化教育利益着眼，只为了一时赚钱，解除不了出版事业的困境。鲁迅记述：三十年代，上海有个"美的书店"，它不只编印《性史》，而且预告要出一本研究女人的"第三种水"的书，其售货员都是雇用的时髦女郎，里里外外，号召力和刺激性都够大的了。然而没有很久就倒闭了，并没有赚了多少钱。能赚钱并能促进国民文化教育的，还是不出下流书籍的商务印书馆、中华书局和开明书店。目前有些出版社赔钱，是管理制度上的问题，并不是出什么书的问题。

文学现象，自然是社会现象、社会意识的一种反映。目前通俗文学的流行，与时代思潮模糊，密切相关。它与现实主义文学的分别，不在于它提供的形式，而在于它提供的内容。这与其说是文学上的一次顿挫，不如说是哲学上的一次顿挫。然而现象变幻的结果，必然是曲终奏雅，重归于正的。

一九八四年十一月三十日

听朗诵

一九八五年，九月十五日晚间，收音机里，一位教师正在朗诵《为了忘却的记念》。

这篇散文，是我青年时最喜爱的。每次阅读，都忍不住热泪盈眶。在战争年代，我还屡次抄录、油印，给学生讲解，自己也能背诵如流。

现在，在这空旷寂静的房间里，在昏暗孤独的灯光下，我坐下来，虔诚地、默默地听着。我的心情变得很复杂，很不安定，眼里也没有了泪水。

五十年过去了。现实和文学，都有很大的变化。我自己，经历各种创伤，感情也迟钝了。五位青年作家的事迹，已成历史，鲁迅的这篇文章，也很久没有读，只是偶然听到。

革命的青年作家群，奔走街头，振臂高呼，终于为革命文学而牺牲。这些情景，这些声音，对当前的文坛来说，是过去了很久，也很远了。

是的，任何历史，即使是血写的历史，经过时间的冲刷，在记忆中，也会渐渐褪色，失去光泽。作为文物陈列的，古代的佛教信徒，用血写的经卷，就是这样。关于仁人志士的记载，或仁人志士的遗言，在当时和以后，对人们心灵的感动，其深浅程度，总会有不同吧！

他们的呼声，在当时，是一个时代的呼声，他们心的跳动，紧紧接连着时代的脉搏。他们的言行，在当时，就是群众的瞩望，他们的不幸，会引起全体人民的悲痛。时过境迁，情随事变，就很难要求后来的人，也有同样的感情。

时间无情，时间淘洗。时间沉淀，时间反复。历史不断变化，作家的爱好，作家的追求，也在不断变化。抚今思昔，登临凭吊的人，虽络绎不绝，究竟是少数。有些纪念文章，也是偶然的感喟，一时之兴怀。

世事虽然多变，人类并不因此就废弃文学，历史仍赖文字以传递。三皇五帝之迹，先秦两汉之事，均赖历史家、文学家记录，才得永久流传。如果没有文字，只凭口碑，多么重大的事件，不上百年，也就记忆不清了。文字所利用的工具也奇怪，竹木纸帛，遇上好条件，竟能千年不坏，比金石寿命还长。

能不能流传，不只看写的是谁，还要看是谁来写。秦汉之际，楚汉之争，写这个题材的人，当时不下百家。一到司马迁笔下，那些人和事，才活了起来，脍炙人口，永远流传。别家的书，却逐渐失落，亡佚。

白莽柔石，在当时，并无赫赫之名，事迹亦不彰著。鲁迅也只是记了私人的交往，朋友之间的道义，都是细节，都是琐事。对他们的革命事迹，或避而未谈，或谈得很简略。然而这篇充满血泪的文字，将使这几位青年作家，长期跃然纸上。他们的形象，鲁迅对他们的真诚而博大的感情，将永远鲜明地印在凭吊者的心中。

想到这里，我的心又平静了下来，清澈了下来。

文章与道义共存。文字可泯，道义不泯。而只要道义存在，鲁迅的文章，就会不朽。

一九八五年九月二十一日晨改抄讫

谈　死

国庆节，帮忙的人休息，儿子来给我做饭，饭后我和他闲谈。

我说：你看，近来有很多老人，都相继倒了下去。老年人，谁也不知道，会突然发生什么变故。我身体还算不错，这是意外收获。但是，也应该有个思想准备。我没有别的，就是眼前这些书，还有几张名人字画。这都是进城以后，稿费所得，现在不会有人说是剥削来的了。书，大大小小，有十个书柜，我编了一个草目。

书，这种东西，历来的规律是：喜欢它的人不在了，后代人就把它处理掉。如果后代并不用它，它就是闲物，而且很占地方。你只有两间小房，无论如何，是装不下的。我的书，没有多少珍本，普通版本多。当时买来，是为了读，不是为了买古董，以后赚钱。现在卖出去，也不会得到多少钱。这些书，我都用过，整理过，都包有书皮，上面还有我胡乱写上的一些字迹，卖出去不好。最好是捐献给一个地方，不要糟蹋了。

当然捐献出去，也不一定就保证不糟蹋，得到利用。一些图书馆，并不好好管理别人因珍惜而捐献给他们的书。可以问问北京的文学馆，如果他们要，可能会保存得好些。但他们是有规格的，不一定每个作家用过的书，都被收存。

字画也是这样。不要听吴昌硕多少钱一张，齐白石又多少钱一张，那是卖给香港和外国人的价。国家收购，价钱也有限。另外，我也就只有几张，算得上文物，都放在里屋靠西墙的大玻璃柜中，画目附在书籍草目之后，连同书一块送去好了。

儿子默默地听着，一句话也没有说。大节日，这样的谈话，也不好再继续下去，我也就结束了自己的唠叨。儿子对一些问题，会有自己的想法。我的话，只能供他参考。我死后，他也会自作主张，他已经是四十多岁的人了。

我有些话，是不愿也不忍和他说的。比如近来读到的，白居易的两句诗："所营惟第宅，所务在追游"，在我心中引起的愤慨。还有，前些日子，一位老同志晚间来访，谈到一些往事，最后，他激动地拍着两手，对我说："看看吧，我们的手上，没有沾着同志们的血和泪！"在我心中引起的伤痛，就不便和孩子们讲。就是说了，孩子们也不会了解我们这一代人的心情的。

其实，生前谈身后的事，已是多余。侈谈书画，这些云烟末节，更近于无聊。这证明我并不是一个超脱的人，而是一个庸俗的人。曾子一生好反省，临死还说："启吾手，启吾足。"他只能当圣人或圣人的高足，是不会有什么作为的。历代的英雄豪杰，当代的风流人物，是不会反省的。不只所作所为，他一生中说过什么话，和写过什么文章，也早已忘记得干干净净了。

王羲之说：死生亦大矣。所以他常服用五石散，希望延长寿命，结果促短了寿命。苏东坡一生达观，死前也感到恐怖。僧人叫他向往西方极乐世界，他回答说实在没有着力处。总之，生，母子虽经过痛苦，仍是一种大的欢乐；而死，不管你怎样说，终归是一件使人不愉快的事。

在大难之前，置生死于度外，这样的仁人志士，在中国，历代多有。在近代史上，瞿秋白同志，就义前的从容不苟，是最使后人凛凛的了。毕命之令下，还能把一首诗写完。刑场之上谈笑自若。这都是当时《大公报》

的记载，毫无私见，十分客观。而"四人帮"的走狗们，妄图把他比作太平天国的李秀成，不知是何居心。这些虫豸，如果不把一切人一切事物，都贬低，都除掉，他们的丑恶形象是显现不出地表的。而一旦暴露在光天化日之下，他们又迅速灭亡了。这是另一种人、另一种心理的死亡。他们的身上和手上，沾满和浸透了人民的和革命者的血和泪。

一九八五年十月十八日

文事琐谈

老年文字

最近写了一篇文章，叫女儿抄了一下，放在抽屉里。有一天，报社来了一位编辑，就交给他去发表。发出来以后，第一次看，没有发现错字。第二次看，发现"他人诗文"，错成了"他们诗文"，心里就有些不舒服。第三次看，又发现"入侍延和"，错成了"入侍廷和"；"寓意幽深"，错成了"意寓幽深"，心里就更有些别扭了。总以为是报社给排错了，编辑又没有看出。

过了两天，又见到这位编辑，心里存不住话，就说出来了。为了慎重，加了一句：也许是我女儿给抄错了。

女儿的抄件，我是看过了的，还作了改动。又找出我的原稿查对，只有"延和"一词，是她抄错，其余两处，是我原来就写错了，而在看抄件时，竟没有看出。错怪了别人，赶紧给编辑写信说明。

这完全可以说是老年现象，过去从来没有发生过。我写作多年，很少出笔误，即使有误，当时就觉察到改正了。为什么现在的感觉如此迟钝？我当编辑多年，文中有错字，一遍就都看出来了。为什么现在要看多遍，还有遗漏？这只能用一句话回答：老了，眼力不济了。

　　所谓"文章老更成"，"姜是老的辣"，也要看老到什么程度，也有个限度。如果老得过了劲，那就可能不再是"成"，而是"败"；不再是"辣"，而是"腐烂"了。

　　我常对朋友说，到了我这个年纪，还写文章，这是一种习惯，一种惰性。就像老年演员，遇到机会，总愿意露一下。说句实在话，我不大愿意看老年人演的戏。身段、容貌、脚手、声音，都不行了。当然一招一式，一腔一调，还是可以给青年演员示范的，台下掌声也不少。不过我觉得那些掌声，只是对"不服老"这种精神的鼓励和赞赏，不一定是因为得到了真正的美的享受。美，总是和青春、火力、朝气，联系在一起的。我宁愿去看娃娃们演的戏。

　　己之视人，亦犹人之视己。老年人写的文章，具体地说，我近年写的文章，在读者眼里，恐怕也是这样。

　　我从来不相信，朋友们对我说的，什么"宝刀不老"呀，"不减当年"呀，一类的话。我认为那是他们给我捧场。有一次，我对一位北京来的朋友说："我现在写文章很吃力，很累。"朋友说："那是因为你写文章太认真，别人写文章是很随便的。"

当然不能说，别人写文章是随便的。不过，我对待文字，也确是比较认真的。文章发表，有了错字，我常常埋怨校对、编辑不负责任。有时也想，错个把字，不认真的，看过去也就完了；认真的，他会看出是错字。何必着急呢？前些日子，我给一家报纸写读书随笔，一篇一千多字的文章，引用了四个清代人名，竟给弄错了三个。我没有去信要求更正，编辑也没有来信说明，好像一直没有发现似的。这就证明，现在人们对错字的概念，是如何的淡化了。

不过，这回自己出了错，我的心情是很沉重的，今后如何补救呢？我想，只能更认真对待。比如过去写成稿子，只看两三遍；现在就要看四五遍。发表以后，也要比过去多看几遍。庶几能补过于万一。

老年人的文字，有错不易得到改正，还因为编辑、校对对他的迷信。我在大杂院住的时候，同院有一位老校对。我对他说："我老了，文章容易出错，你看出来，不要客气，给我改正。"他说："我们有时对你的文章也有疑问，又一想你可能有出处，就照排了。"我说："我有什么出处？出处就是辞书、字典。今后一定不要对我过于信任。"

比如这次的"他们诗文",编辑一眼就可以看出是不通的,有错的。但他们几个人看了,都没改过来。这就因为是我写的,不好动手。

老年文字,聪明人,以不写为妙。实在放不下,以少写为佳。

一九九〇年九月

文　过

题意是文章过失,非文过饰非。

最近写了一篇文章发表,又招来意想不到的麻烦。

此文,字不到两千,用化名,小说形式。文中,先叙与主人公多年友情,中间只说了一些鸡毛蒜皮的小事,后再叙彼此感情,并点明他原是一片好心。最终说明主旨:写文章应该注意细节的真实。纯属针对文坛时弊的艺术方面的讨论,丝毫不涉及个人的任何重大问题。扯到哪里去,这至多也不过是拐弯抹角、瞻前顾后、小心翼翼地,对朋友的写作,苦口婆心提点规谏。

说真的,我写文章,尤其是这种小说,已经有过教训。写作之前,不是没有顾忌。但有些意念,积累久了,总愿意吐之为快。也知道这是文人的一种职业病,致命伤，不易改正。行文之时，还是注意有根有据，勿伤他人感情。感情一事，这又谈何容易！所以每有这种文字发出，总是心怀惴惴，怕得罪人的。我从不相信"创作自由"一类的话，写文章不能掉以轻心。

但就像托翁描写的学骑车一样，越怕碰到哪一棵树上，还总是撞到那棵树上。

已经清楚地记得：因为写文章得罪过三次朋友了。第一次有口无心，还预先通知，请人家去看那篇文章，这说明原是没有恶意。后来知道得罪了人，不得不在文末加了一个注。

现在看来，完全没有必要。当时所谓清查什么，不过是走过场。双方都是一场虚惊。现在又有人援例叫我加注，我解释说：散文加注可以，小说不好加注，如果加注，不成了"此地无银三百两"吗？

说是小说也不行。有的人一定说是有所指。可当你说这篇小说确有现实根据时，他又不高兴，非要你把这种说法取消不可。

结果，有一次，硬是把我写给连共的一封短简，已经排成小样，撤了下来。目前，编辑把这封短简退给我，我看了一下内容，真是啼笑皆非：城门失火，殃及池鱼，只能向收信人表示歉意。

鲁迅晚年为文，多遭删节，有时弄得面目皆非。所删之处，有的能看出是为了什么，有的却使鲁迅也猜不出原因。例如有一句这样的话："我死了，恐怕连追悼会也开不成。"给删掉了。鲁迅补好文字以后写道："难道他们以为，我死了以后，能开成追悼会吗？"当时看后，拍案叫绝，以为幽默之至，尚未能体会到先生愤激之情，为文之苦。

例如我致连共的这封短简，如果不明底细，不加注释，任何敏感的人，也不会看出有什么"违碍"之处。文字机微，甚难言矣。

取消就取消吧，可是取消了这个说法，就又回到了"小说"上去。难道真的有没有现实根据的小说吗？

有了几次经验，得出一个结论：第一，写文章，有形无形，不要涉及朋友；如果写到朋友，只用颂体；第二，当前写文章，贬不行，平实也不行。只能扬着写，只能吹。

这就很麻烦了。可写文章就是个麻烦事，完全避免麻烦，只有躺下不写。

又不大情愿。

写写自己吧。所以，近来写的文章，都是自己的事，光彩的不光彩的，都抛出去，一齐大甩卖。

但这也并非易事。自己并非神仙，生活在尘世。固然有人说他能遗世而独立，那也不过是吹牛。自我暴露，自我膨胀，都不是文学的正路，何况还不能不牵涉他人？

大家都希望作家说真话，其实也很难。第一，谁也不敢担保，在文章里所说的，都是真话。第二，究竟什么是真话？也只能是根据真情实感。而每个人的情感，并不相同，谁为真？谁为假？读者看法也不会一致。

我以为真话，也应该是根据真理说话。世上不一定有真宰，但真理总还是有的。当然它并非一成不变的。

真理就是公理，也可说是天理。有了公理，说真话就容易了。

一九九一年七月二十三日足成之

文　虑

所谓文虑，就是写文章以前，及写成以后的种种思虑。

我青年时写作，都是兴之所至，写起来也是很愉快的，甚至嘴里哼哼唧唧，心里有节奏感。真像苏东坡说的：

> 某生平无快意事，惟作文章。意之所到，则笔力曲折，无不尽意。自谓世间乐事，无逾此者。

其实，那时正在战事时期，生活很困苦，常常吃不饱，穿不暖。也没有像样的桌椅、纸张、笔墨。但写作热情很高，并视为一种神圣的事业。有时写着写着，忽然传来敌情，街上已经有人跑动，才慌忙收拾起纸笔，跑到山顶上去。

很长时间，我是孤身一人，离家千里，在破屋草棚子里写东西。烽火连天，家人不知死活，但心里从无愁苦，一心想的是打败日本，写作就是我的职责。

写出东西来，也没有受过批评，总是得到鼓励称赞。现在有些年轻人，以为我们那时写作，一定受到多少限制，多么不自由，完全是出于猜测。我亲身体验，战争时期，创作一事，自始至终，是不存什么顾虑的。竞技状态，一直是良好的，心情是活泼愉快的。

存顾虑，不愉快，是很久以后的事。作为创作，这主要和我的经历、见闻、心情和思想有关。

土地改革，解放战争时期，我虽受到批判，但写作热情未减。批判一过，作品如潮，可以说是"屡败屡战"，毫不气馁。我还真的亲临大阵，冒过锋矢。

就是"文革"以后，我还以九死余生，鼓了几年余勇。但随着年纪，我也渐渐露出下半世光景，一年不如一年的样子来。

目前为文，总是思前想后，顾虑重重。环境越来越"宽松"，人对人越来越"宽容"，创作越来越"自由"，周围的呼声越高，我却对写东西，越来越感到困难，没有意思，甚至有些厌倦了。我感到很疲乏。究竟是什么原因，自己也说不清楚。

顾虑多，表现在行动上，已经有下列各项：

一、不再给别人的书写序，实施已近十年。

二、不再写书评或作品评论，因为已经很少看作品。

三、凡名人辞书、文学艺术家名人录之类的编者，来信叫写自传、填表格、寄相片，一律置之。因为自觉不足进入这种印刷品，并怀疑这些编辑人是否负责。

四、凡叫选出作品、填写履历、寄照片、手迹，以便译成外文，帮助"走向世界"者，一律谢绝。因为自己愿在本国，安居乐业，对走向那里，丝毫没有兴趣。

五、凡专登名人作品的期刊，不再投稿。对专收名家作品的丛书，不去掺和。名人固然不错，名人也有各式各样。如果只是展览名人，编校不负责任，文章错字连篇，那也就成为一种招摇。

六、不为群体性、地区性的大型丛书挂名选稿，或写导言。因为没有精力看那么多的稿件，也写不出像鲁迅先生那样精辟的导言。

总之，与其拆烂污，不如岩穴孤处。

作家，一旦失去热情，就难以进行创作了。目前还在给一些报纸副刊投投稿，恐怕连这也持续不长了。真是年岁不饶人啊!

人们常说:每个时代,有每个时代的作家。时代一变,一切都变。我的创作时代,可以说从抗日战争开始,到"文化大革命"结束。所以,近年来了客人,我总是先送他一本《风云初记》,然后再送他一本《芸斋小说》。我说:"请你看看,我的生活。全在这两本书里,从中你可以了解我的过去和现在。包括我的思想和感情。可以看到我的兴衰、成败,及其因果。"

一九九一年八月四日上午

文 宗

我青年时,如痴如醉地爱好文艺,也写点文章投稿。但从来没有想到向名家请教,给人家写信。更没有机会,去拜访名家。也可能是因为当时自己没有写出像样的东西,更没有出过书,没有资格这样做。若干年以后,能出书了,也没有给名人送过书。编刊物,也很少向名人约稿。只是守株待兔,等候着青年人的投稿。所以身在文艺界,和文艺界的名人接触不多。

在延安时,我发表几篇小说后,周扬同志曾到我的窑洞,看望我一次。也没有地方坐,站着和我说了几句

143

话，就走了。当时我是鲁艺文学系的教员，他是院长。

那时鲁艺名家如林，我也不记得到谁的窑洞里闲谈过。我自幼性格孤僻，总是愿意独来独往。

我认为，别的艺术门类，或许需要名家亲手指点，文学一事，只要认真读名家的作品，就可以了。千古名师，也无非叫你多读多写。文学，全靠自身的素质和坚韧的努力。

鲁迅是真正的一代文宗。"人谁不爱先生？"是徐懋庸写给鲁迅的那封著名信中的一句话，我一直记得。这是三十年代，青年人的一种心声。

书，一经鲁迅作序，便不胫而走；文章，一经他入选，便有了定评，能进文学史；名字，一在他的著作中出现，不管声誉好坏，便万古长存。鲁门，是真正的龙门。上溯下延，几个时代，找不到能和他比肩的人。梁启超、章太炎、胡适，都不行。

鲁迅对青年作家的帮助，是指出他们创作的不足，赠送他们以有用之书，介绍他们的作品出版。他能做的，全都做到了。

鲁迅对青年作家的一些缺点，是很理解，也很宽容的。例如，他说有些人古怪，神经质，局面小，眼光浅，文字不肯大众化等等，但他都能体谅。

鲁迅并不怕别人利用他。一个人能被利用，就证明自己对他人有用。既然有用，就不要损害他，更不要暗中损害他。

他一旦发见，青年人并非真正尊重他，只是利用他，当面和背后，并不一致，甚至动不动就兴师问罪，他就会生气，和这个青年人疏远了。鲁迅非常敏感。

从鲁迅的书信、日记，可以看出，他有时对青年人向他借钱、捐款，叫他办事，也并非都是心甘情愿，那么乐于从事的。例如有人叫他派人送东西，他就复信说："舍下无人可派。"很不高兴。捐款，有时也很勉强、冷淡。

他曾说："白莽如果不是死得早，也许我们早闹翻了。"痛哉斯言！对他早期的一些学生，也时有微词。

以先生对待青年人的赤诚热情，为什么还会有些不愉快呢？我以为主要原因，在于青年人太天真，想得太简单，或急于出名得利，对鲁迅不知体谅所致。

鲁迅自己说他是一头牛，或甘为孺子牛。青年人如果根据这些话，就围上去，役使他，鞭挞他，挤他的奶吃，就是一头真的牛，也会不高兴，不能那么顺从了。

有幸与鲁迅同时的青年，有的因宗派，有的因思想行为，有的因感情细节，与他疏远了。友谊保持长久的，并不太多。这是一种不幸。

一九九二年一月九日

与友人论学习古文

承问我学习古代文字的经验，实在惭愧，我在这方面的根底很薄，不能冒充高深。

我上小学的时候，是一九一九年，已经是国民小学。在农村，小学校的设备虽然很简陋，不过是借一家闲院，两间泥房做教室，复式教学，一个先生教四班学生。虽然这样，学校的门口，还是左右挂了两面虎头牌："学校重地"及"闲人免进"。

你看未进校门之先，我们接触的，已经是这样带有浓厚封建国粹色彩的文字了。但进校后所学的，还是新学制的课本，并不是过去的五经四书了。

所以，我在小学四年，并没有读过什么古文。不过，在农村所接触的文字，例如政府告示、春节门联、婚丧应酬文字，还都是文言，很少白话。

我读的第一篇"古文"，是我家的私乘。我的父亲，在经营了多年商业以后，立志要为我的祖父立碑。他求人——一位前清进士撰写了一篇碑文，并把这篇碑文交给小学的先生，要他教我读，以备在立碑的仪式上，叫我在碑前朗诵。父亲把这件事，看得很重，不只有光宗耀祖的虔诚，还有教子成材的希望。

我记得先生每天在课后教我念，完全是生吞活剥，我也背得很熟，在我们家庭的那次大典上，据反映我读得还不错。那时我只有十岁，这篇碑文的内容，已经完全不记得，经过几十年战争动乱，那碑也不知道到哪里去了。但是，那些之乎者也，那些抑扬顿挫，那些起承转合，那些空洞的颂扬之词，好像给我留下了深刻的印象。

然后我进了高等小学。在这二年中，我读的完全是新书和新的文学作品，父亲请了一位老秀才，教我古文，没有给我留下任何印象。因为我看到他走在街头的那种潦倒状态，以为古文是和这种人物紧密相连的，实在鼓不起学习的兴趣。这位老先生教给我的是一部《古文释义》。

在育德中学，初中的国文讲义中，有一些古文，如《孟子》、《庄子》、《墨子》的节录，没有引起我多少兴趣。但对一些词，如《南唐二主词》、李清照《漱玉词》、《苏辛词》，发生了兴趣，一样买了一本，都是商务印书馆印的学生国学丛书的选注本。

为什么首先爱好起词来？是因为在读小说的时候，接触到了一些诗词歌赋。例如《红楼梦》里的葬花词、芙蓉诔，鲁智深唱的寄生草，以及什么祖师的偈语之类。青年时不知为什么对这种文字，这样倾倒，以为是人间天上，再好没有了，背诵抄录，爱不释手。

现在想来，青少年时代，确是一个神秘莫测的时代。那时的感情，确像一江春水，一树桃花，一朵早霞，一声云雀。它的感情是无私的，放射的，是无所不想拥抱，无所不想窥探的。它的胸怀，向一切事物都敞开着，但谁也不知道，是哪一件事物或哪一个人，首先闯进来，与它接触。

接着，我读了《西厢记》，苏曼殊的《断鸿零雁记》，沈复的《浮生六记》。一个时期，我很爱好那种凄冷缠绵，红袖罗衫的文字。

无论是桃花也好，早霞也好，它都要迎接四面八方袭来的风雨。个人的爱好，都要受时代的影响与推动。我初中毕业的那一年，"九一八"事变发生；第二年，"一·二八"事变发生。在这几年中，我们的民族危机，严重到了一触即发的程度。保定地处北方，首先经受时代风云的冲击。报刊杂志、书店陈列的书籍，都反映着这种风云。我在高中二年，读了很多政治经济学方面的书籍。我在一本一本练习簿上，用蝇头小楷，孜孜矻矻做读《费尔巴哈论》和其他哲学著作的笔记。也是生吞活剥，但渐渐觉得它们确能给我解决一些当前现实使我苦恼的问题。我也读当时关于社会史和关于文艺的论战文章。

这样很快就把我先前爱好的那些后主词、《西厢记》，冲扫得干干净净。

高中二年，在课堂上，我读了一本《韩非子》，我很喜好这部书。读了一部《八贤手札》，没有印象。高中二年的课堂作文，我都是作的文言文，因为那时的老师，是一位举人，他要求这样。

因为功课中，有修辞学，有名学（就是逻辑学），有文化史、伦理学史、哲学史，所以我还是断断续续接触了一些古文，严复、林纾翻译的书，我也读了一些。

高中毕业以后，我没有能进入大学，所以我的古文，并没有得到过大学文科的科班训练，只能说是中学的程度。

以上，算是我在学校期间，学习古文的总结。

抗战八年间，读古书的机会很少，但是，偶尔得到一本，我也不轻易放过，总是带在身上，看它几天。记得，我背过《孟子》、《楚辞》。

你说，已经借到一部大学用的古代汉语，选目很好，并有名家注释。这太好了。"文化大革命"后期，我没有书读，也是借了两本这样的书，每天晚上读，并抄录下来不少。

我们只能读些选本。鲁迅反对读选本，是就他那种学力，并按照研究的要求提出的。我们是处在学习阶段，只能读些有可靠注释的选本。我从来也不敢轻视像《古文观止》、《唐诗三百首》这样的选本。像这样的选家，这样的选本，造福于后人的，实在太大了。进一步，我们也可以读《昭明文选》，这就比较深奥一些。不能因为鲁迅反对过读文选，我们就避而远之。土地改革期间，我在小区工作，负责管理各村抄送来的图籍，其中有一部胡刻文选的石印本，我非常爱好，但是不敢拿，在书堆旁边，读了不少日子。

至于什么"全上古汉……文"、"全汉三国晋南北朝诗"，对我们来说，买不起又搬不动，用处不大。民国初年，上海有一家医学书局，主持人是丁福保，他编了一部《汉魏六朝名家集》，初集共四十家，白纸铅印线装，轻便而醒目，我买了一部，很实用。从中，我们可以看到，很多大作家，留给我们的文集，只是薄薄的一本，这是因为当时不能印刷广为流传，年代久远，以至如此。唐宋以后，作家保存文章的条件就好多了。对于保存自己的作品，传于身后，白居易是最用了脑筋的，他把自己的作品，抄写五部，分存于几大名山寺院之中，他的文集，得以完整无缺。

唐宋大作家文集，现在都容易得到，可以置备一些。这样，可以知道他一生写了哪些文章，有哪些文体，文集中又都附有关于他的评论和碑传，也可以增加对作家的理解。宋以后的文集，如你没有特殊兴趣，暂时可以不买。

读古文，可以和读历史相结合。《左传》、《战国策》，文章写得很好，都有选本。《史记》、《三国志》、《汉书》、《新五代史》，文章好，史、汉有选本。此外断代史，暂时不读也可以。可买一部《纲鉴易知录》，这算是明以前的历史纲要，是简化了的《资治通鉴》，文字很好。

另有一条道路，进入古文领域，就是历代笔记小说，石印的《笔记小说大观》，商务印的《清代笔记小说选》，部头都大些。买些零种看看也可以。至于像《世说新语》、《唐语林》、《摭言》、《梦溪笔谈》、《洪容斋随笔》等，则应列为必读的书。

如果从小说进入，就可读《太平广记》、《唐宋传奇》、《聊斋志异》和《阅微草堂笔记》。这些书，大概你都读过了。

至少要读一本文学史，谢无量的《中国大文学史》，鲁迅常引用。文论方面，可读一本《文心雕龙》。

学习古文，主要是靠读，不能像看白话小说，看一遍就算了。要读若干遍，有一些要背过。文读百遍，其义自明，好文章是越读越有味道的。最好有几种自己喜欢的选本，放在身边，经常拿起来朗读。

总之，学习古文的途径很多。以文为主，诗、词、歌、赋并进，收效会大些。

手边要有一本适宜读古文的字典，遇到一些生字，随时查看。直到现在，我手边用的还是一本过去商务印的《学生字典》，对我的读书写作，帮助很大。

学习古文，除去读，还要作，作可以帮助读。遇有机会，可作些文言小文，这也算不得复古，也算不得遗老遗少所为，对写白话文，也是有好处的。

一九八一年三月二十八日

欧阳修的散文

世称唐宋八家，实以韩柳欧苏为最，其他四位，应说是政治家，而非文学家。欧阳修的文风接近柳宗元，他是严格的现实主义者。苏轼宗韩，为文多浮夸嚣张之气，常常是胸中先有一篇大道理，然后归纳成一句警语，在文章开始就亮出来。

欧阳修的文章，常常是从平易近人处出发，从入情入理的具体事物出发，从极平凡的道理出发。及至写到中间，或写到最后，其文章所含蓄的道理，也是惊人不凡的。而留下的印象，比大声喧唱者，尤为深刻。

欧阳修虽也自负，但他并不是天才的作家。他是认真观察，反复思考，融合于心，然后执笔，写成文章，又不厌其烦地推敲修改。他的文章实以力得来，非以才得来。

在文章的最关键处，他常常变换语法，使他的文章和道理，给人留下新鲜深刻的印象。例如《泷冈阡表》

里的："夫养不必丰，要于孝。利虽不得博于物，要其心之厚于仁。"

在外集卷十三，另有一篇《先君墓表》，据说是《泷冈阡表》的初稿，文字很有不同，这一段的原稿文字是：

夫士有用舍，志之得施与否，不在己。而为仁与孝，不取于人也。

显然，经过删润的文字，更深刻新颖，更与内容主题合拍。

原稿最后，是一大段四字句韵文，后来删去，改为散文而富于节奏：

呜呼，为善无不报，而迟速有时，此理之常也。惟我祖考，积善成德，宜享其隆。虽不克有于其躬，而赐爵受封，显荣褒大，实有三朝之锡命。

结尾，列自己封爵全衔，以尊荣其父母。从此可见，欧阳修修改文章，是剪去蔓弱使主题思想更突出。此文只记父母的身教言教，表彰先人遗德，丝毫不及他事。《泷冈阡表》共一千五百字，是欧阳修重点文章，用心之作。

《相州昼锦堂记》是记韩琦的。欧阳与韩，政治见解相同，韩为前辈，当时是宰相。但文章内无溢美之词，立论宏远正大，并突出最能代表相业的如下一节：

> 至于临大事，决大议，垂绅正笏，不动声色，而措天下于泰山之安，可谓社稷之臣矣。

这篇被时人称为"天下文章，莫大于是"的作品，共七百五十个字。

我们都喜欢读《醉翁亭记》，并惊叹欧阳修用了那么多的"也"字。问题当然不在这些"也"字，这些"也"字，不过像楚辞里的那些"兮"字，去掉一些，丝毫不减此文的价值。文章的真正功力，在于写实；写实的独到之处，在于层次明晰，合理展开，在于情景交融，人地相当；在于处处自然，不伤造作。

韩文多怪僻。欧阳修幼时，最初读的是韩文，韩应是他的启蒙老师。为什么我说他宗柳呢？一经比较，我们就会看出欧、韩的不同处，这是文章本质的不同。这和作家经历、见识、气质有关。韩愈一生想做大官，而终于做不成；欧阳修的官，可以说是做大了，但他遭受的坎坷，内心的痛苦，也非韩愈所能梦想。因此，欧文多从实际出发，富有人生根据，并对事物有准确看法，这一点，他是和柳宗元更为接近的。

欧阳修的其他杂著，《集古录跋尾》，是这种著作的继往开来之作。因为他的精细的考订和具有卓识的鉴赏，一直被后人重视。他的笔记《归田录》，不只在宋人笔记中首屈一指，即在后来笔记小说的海洋里，也一直是规范之作。他撰述的《新五代史》，我在一年夏天，逐字逐句读了一遍。一种史书，能使人手不释卷，全部读下去，是很不容易的。即如《史记》、《汉书》，有些篇章，也是干燥无味的。为什么他写的《新五代史》，能这样吸引人，简直像一部很好的文学著作呢？这是因为，欧阳修在《旧五代史》的基础上，删繁就简，着重记载人物事迹，史实连贯，人物性格突出完整。所见者大，所记者实，所论者正中要害，确是一部很好的史书。这是他一贯的求实作风，在史学上的表现。

据韩琦撰墓志铭，欧阳修"嘉祐三年夏，兼龙图阁学士，权知开封府事。前尹孝肃包公，以威严得名，都下震恐。而公动必循理，不求赫赫之誉。或以少风采为言，公曰，人才性各有短长，吾之长止于此，恶可勉其所短以徇人邪！既而京师亦治"。从此处，可以看出他的为人处世的作风，这种实事求是的工作态度，必然也反映到他的为文上。

他居官并不顺利，曾两次因朝廷宗派之争，受到诬陷，事连帷薄，暧昧难明。欧阳修能坚持斗争，终于使真相大白于天下，恶人受到惩罚。但他自己也遭到坎坷，屡次下放州郡，不到四十岁，须发尽白，皇帝见到，都觉得可怜。

据吴充所为行状：

> 嘉祐初，公知贡举，时举者为文，以新奇相尚，文体大坏。公深革其弊。前以怪僻在高第者，黜之几尽。务求平澹典要。士人初怨怒骂讥，中稍信服，已而文格遂变而复正者，公之力也。

韩琦称赞他的文章：

> 得之自然，非学所至。超然独骛，众莫能及。譬夫天地之妙，造化万物，动者植者，无细与大，不见痕迹，自极其工。于是文风一变，时人竞为模范。

道德文章的统一，为人与为文的风格统一，才能成为一代文章的模范。欧阳修为人忠诚厚重，在朝如此，对朋友如此，观察事物，评论得失，无不如此。自然、朴实，加上艺术上的不断探索，精益求精，使得他的文章，如此见重于当时，推仰于后世。

古代散文，并非文章的一体，而是许多文体的总称。包括：论、记、序、传、书、祭文、墓志等。这些文体，在写作时，都有具体的对象，有具体的内容。古代散文，很少是悬空设想，随意出之的。当然，在某一文章中，作者可因事立志，发挥自己的见解，但究竟有所依据，不尚空谈。因此，古代散文，多是有内容的，有时代形象和时代感觉的。文章也都很短小。

近来我们的散文，多变成了"散文诗"，或"散文小说"。内容脱离社会实际，多作者主观幻想之言。古代散文以及任何文体，文字虽讲求艺术，题目都力求朴素无华，字少而富有含蓄。今日文章题目，多如农村酒招，华丽而破旧，一语道破整篇内容。散文如无具体约束，无真情实感，就会枝蔓无边。近来的散文，篇幅都在数千字以上，甚至有过万者，古代实少有之。

散文乃是对韵文而言，现在有一种误解，好像散文就是松散的文章，随便的文体。其实，中国散文的特点，是组织要求严密，形体要求短小，思想要求集中。我们从以上所举欧阳修的三篇散文，就可以领略。至于那种称做随笔的，是另外一种文体，是执笔则可为之的，外国叫做 Essay。和散文并非一回事。

现在还有人鼓吹，要加强散文的"诗意"。中国古代散文，其取胜之处，从不在于诗，而在于理。它从具体事物写起然后引申出一种见解，一种道理。这种见解和道理，因为是从实际出发的，就为人们所承认、信服，如此形成这篇散文的生命。

一九八〇年五月

《金瓶梅》 杂说

从青年时起，《金瓶梅》这部小说，也浏览过几次了，但每次都没有正经读下去。老实说，我青年时，对这部小说，有一种矛盾心理：又想看又不愿意看。常常是匆匆忙忙翻一阵，就放下了。稍后，从事文学工作，我发现，从文字爱好上说，这部书并不是首选，首选是《红楼梦》。我还常常比较这两部书，定论：此书风格远不及《红楼梦》。

今年夏季，人民文学出版社印行了《金瓶梅》的删节本。说它是删节本，就是区别于过去所谓的"洁本"。我过去读到的洁本，是郑振铎主编的《世界文库》上连载的，虽未读完，但记得是删得很干净的。人文此本，删得不干净，个别字句不删，事前事后感情酝酿及余波也不删。这样就保存了较多的文字。对研究者有利，但研究者还是需要读全文。究竟哪一种删法好，不在这篇文章研究之列，不多谈。

想说的是，我已是老年，高价买了这部书，文字清楚，校对也比较精细，又有标点，很想按部就班，认真地读一遍。这倒不是出于老有少心，追求什么性感上的刺激；相反，是想在历尽沧桑之后，红尘意远之时，能够比较冷静地、客观地看一看：这部书究竟是怎样写的，写的是怎样的时代，如何的人生？到底表现了多少，表现得如何？做出一个供自己参考的、实事求是的判断。

我从来不把小说，看作是出世的书，或冷漠的书。我认为抱有出世思想的人，是不会写小说的，也不会写出好的小说。对人生抱绝对冷漠态度的人，也不能写小说，更不能写好小说。"红"如此，"金"亦如此。作家标榜出世思想，最后引导主人公去出家，得到僧道点化，都是小说家的罩眼法。实际上，他是热爱人生的，追求恩爱的。在这两点上，他可能有不满足，有缺陷，抱遗憾，有怨恨，但绝不是对人生的割弃和绝望。

自从唐代，小说这种文体，逐渐完善起来，就成为对人生进行劝惩的一种途径。在故事结构上，就常常表现一种因果。释道两家也都谈因果，在世俗中形成一种观念。但是，文学上的因果报应说，实际上是人民群众，特别是弱小者，不幸者的一种愿望。在实际生活中，往往并不如此。因为善恶的观念，有时并不稳定，有时是游离的，有时是颠倒的。这种观念受时代的影响，特别是经济、政治的影响，这种影响，随形势变化而变化。

我并不反对，有些小说标榜因果报应。因果，就是现实发展、变化的规律。事物都有它的起因和结果。起因有时似偶然，然其结果则是必然。其间迂回、曲折，或出人不意，或绝处逢生，种种变化，都是事物发展的过程。作家能真实动人地反映这一过程，使读者有同感，能信服，得警悟，这就是成功之作。起于青萍之末也好，见首不见尾也好。红极一时，灯火下楼台也好，烟消火灭，树倒猢狲散也好。虽是小说家点缀，要之不悖于真实。兴衰成败，生死荣枯，冷热趋避，人生有之，文字随之，这是毫不足奇的。小说家常常以两个极端，作为小说结构的大局布，庸俗者可成为俗套，大手笔究竟能掌握世事人生的根本规律。在写因果报应的小说中，《金瓶梅》是最杰出的，最精彩的一部。它不是简单的图解和说教，它是用现实生活的生动描绘，来完成这一主题。

历来谈《金瓶梅》者，每谓西门庆这一人物，实有所指，就是说有个真实的人做模特儿，这是可以相信的。很多著名小说中的人物，都有所依据。前人说"蔡京父子则指分宜（严嵩）"，也并非妄言。

最古老的小说，主角多是神魔，稍后是帝王、将相。唐代传奇，降而描述人生，然主人多非平民，而是奇逸之士。《金瓶梅》始转向现实，直面人生，真正的白描手法，亦自它开始。

《金瓶梅》选择了西门庆这样一个人,这样一个家族。用这个人和这个家族,联系当时社会的各个方面:朝廷、官场、市井,各行各业,各种人物。这种多方面的,复杂的人物和场景,是小说创作的一种新局面,也是这一书开创起来的。

《金瓶梅》运用了写实的手法,或者说是自然主义的手法,描写不避烦琐。采用日常用语,民间谚语,甚至地方土话,来表现人物的性格,色彩和气氛,也是它的创造。

这部小说保留的民间谚语,比任何小说都多,都精彩,它有时还用词曲韵语,直接代替人物的对话,或对事物的描写。

作者选择一个暴发户,作为小说的主人,是和时代有关的。通过这样的人物,表明明代中季社会的面貌和内涵,最为方便。外国小说,有只写一个普通农民,普通工人的,并不要求人物社会地位的显赫。中国小说的传统,则重视主要人物的社会地位及其联系面。用广泛的接触,突出时代的特性。《红楼梦》写的是八旗贵族,这是清初的时代特征。《金瓶梅》写的是山东清河县内,一个暴发户的生活史。每个封建王朝,都会产生一大批暴发户。元朝蒙古入侵,明朝朱元璋定统,都产生了自己的暴发户。暴发户不只与当时经济制度有关，而更重要的，是必须投当代政治之机，与政治制度有关。它用市井生活做背景，这是明中叶社会生活的缩影。

曹雪芹是八旗子弟。《金瓶梅》的作者，则属于下层。然其文化修养，艺术素质，观察能力，表现手段，都不同凡响，虽尚未考证出作者确实姓氏，但他一定是个大手笔。他是混迹于市井生活的人，不是什么显贵。他对当时政治的黑暗，看得很清楚。他对这一社会，充满憎恶之情，但写来不露声色，非常从容。他也受当时社会风气的影响，所以写了那么多露骨的淫亵文字。他力图全面表现这一社会，其目的当然不会是单纯的泄愤或报复。他是锐意创新的，他想用这种白描式的社会人情小说，一新读者的耳目，并引导读者面对人生现实。他的功绩不只在于他创造了这部空前形态的小说，而在于他的作品孕育了一部更伟大的《红楼梦》。

不仔细阅读《金瓶梅》，不会知道《红楼梦》受它影响之深。说《红楼梦》脱胎于它，甚至说，没有《金瓶梅》，就不会有《红楼梦》，一点也不为过分。任何文学现象，都是在前人的基础上产生的，任何天才的作家，都必须对历史有所借鉴。善于吸收者，得到发展，止于剽掠者，沦为文盗。

《金瓶梅》所写的生活场景，例如家庭矛盾，婚丧势派，妇女口舌，宴会游艺，园亭观赏，诗词歌曲，无不明显地在《红楼梦》中找到影子。当然《红楼梦》作者的创作立意，艺术修养境界更高，所写，有其独特的色彩，表现，有其独特的个性，在多方面，都凌驾于《金瓶梅》之上，但并不能掩盖它的光辉。

任何艺术，比较其异同，是困难的，也是蹩脚的。在艺术上，不会有相同的东西，这是艺术的创造性所确定的。但是，我在读"金"的过程中，常常想到"红"，企图做一些比较，简列如下：

一、"金"的写法，更接近于宋元话本，它基本上是用的讲述形式，其语言是诉诸"听"的，它那样多地引用了唱词曲本，书也标明词话，也从这里出发。

二、"红"的写法，虽也沿用宋以来白话小说的传统，特别是"金"的语言的传统，但它基本上是写给人看的，是诉诸视觉的。它的语言，不再那样详细烦琐，注意了含蓄，给人以想象和回味。

三、"红"语言的这种特点，是源于作者的创作立场和主观情感。"红"的作者，写作的目的，是感伤自己的身世，追忆过去的荣华。在写作中，他的心时时刻刻是跳动的，是热的，无论是痛哭，或是欢乐。

而"金"的作者，所写的是社会，是世态，是客观。"金"的作者对于他所描绘的世态也好，人情也好，都持一种冷眼观世的态度。这些描述，在他的笔下虽是那样详细无遗，毛发毕现，总给人一种极端冷静的感觉，嘲讽的味道。这一特点，当然也表现在它的语言上。

四、"金"的写法，更接近于自然主义，作者主观的感情色彩，较之"红"，是少得多了。对于世态人情，它企图一览无余地，倾倒给读者："你们看看，世界就是这个样子！"那些猥亵场面，也是在作者这样心情下，扔出来的。而"红"的作者对他所描写的东西，都精心筛选过，在艺术要求上，做过严格的衡量。即使写到男女私情，也做了高明的艺术处理，虽自称为"意淫"，然较之"金"，就上乘得多了。

我不知道自己是不是有道学家的思想。最近看了一本马叙伦的《石屋余沈》，他在谈到淫秽小说《绿野仙踪》时说："即中年人亦岂可阅！不知作者何心。"他是教育家，他的话是可以相信的。这些淫秽文字，在"金"的身上无疑也是赘瘤。

五、因此，虽都是现实主义的艺术珍品，就其艺术境界来说，"红"落脚处较高，名列于上，是当之无愧的。

西门庆是个暴发户，他的信条，也是一切暴发户的生财之道："要得富，险上做。"他除去谋求官职，结交权贵（太使、巡按、御史、状元），也结交各类帮闲、流氓打手，作为爪牙。他还有专用的秀才，为他歌功颂德，树碑立传。他开设当铺、绸缎铺、生药铺，这都是当时最能获利的生意。他放官债，卖官盐，官私勾结，牟取暴利。他夺取别人家的妻妾，同时也是为了夺取人家的财货。娶李瓶儿得了一大笔财产，娶孟玉楼，又得了一大批财产。这是一个路子很广，手眼很大，图财害命，心毒手狠的大恶棍、大流氓，是那个时代的产物。这无疑是当时社会上，最惹人注意的形象，因此，也就是时代的典型形象。

书中说："火到猪头烂，钱到公事办。"西门庆，贪得无厌，贪赃枉法，一旦败露，他会上通东京太师府，用行贿的办法，去求人情。他行贿是很舍得花钱的，因此收效也很大。行贿的办法是，先买通其家人，结交其子弟。本书四十七、四十八两回，写西门庆行贿消祸，手法之高，收效之速，真使人惊心动魄。

这种人依仗权势、财物、心计、阴谋，横行天下。受害的，当然还是老百姓。活生生的人口，也作为他们的货物，随着出纳，有专门的媒婆，经纪其事。一个丫头的身价，只有几两银子或十几两银子。社会风气，也随之败坏，他们虐辱妇女：用马鞭子抽打，剪头发，烧身子。书中所记淫器，即有六七种之多。《金瓶梅》是研究中国妇女生活史的重要资料库。

说媒的，算卦的，开设妓院的，傍虎吃食的，各色人物，作者都有精细周到的描述。对下层社会的熟悉和对各行各业的知识，以及深刻透彻的描写，很多地方，非《红楼梦》作者所能措手。

《金瓶梅》的结构是完整的，小说的进行，虽时有缓滞烦琐，但总的节奏是协调的。故事情节，前后有起伏，有照应，有交代。作者用心很细，艺术功力很深。曹雪芹没有完成自己的著作，不能使人了解其完整的构思。《金瓶梅》的作者，写完了自己的小说，使人了然于他的设想。他写了这一暴发户从兴起到灭亡的急骤过程。

作者深刻地写出了，这种暴发户，财产和势派，来之易，去之亦易；来之不义，去之亦无情的种种场面。写得很自然，如水落石出，是历来小说中很少见到的。他用二十回的篇幅，写了这一户人家衰败以后的景象。这一景象，比起《红楼梦》的后四十回，触目惊心得多，是这部小说的最精彩、最有功力的部分。

鲁迅的小说史和郑振铎的文学史，都很推崇这部小说，郑并且说它超过了水浒、西游。鲁迅称赞之词为：

　　作者之于世情，盖诚极洞达，凡所形容，或条畅，或曲折，或刻露而尽相，或幽伏而含讥，或一时并写两面，使之相形，变幻之情，随在显见，同时说部，无以上之。

此为定论，万世不刊也。文学工作者，应多从此处着眼，领略其妙处，方能在学习上受益。如果只注意那些色情地方，就有负于这次出版的美意了。印删节本，是一大功德。此书历代列为禁书，并非都是出于道学思想。那些文字，确不利于读者，是道地的伐性之斧，而且不限于青年人。很多人喊叫，争取看全文，是出于好奇心理。

此书最后，虽以《普静师荐拔群冤》收场，然作者对于僧道一行，深恶痛绝，书中多处对他们进行淋漓尽致的揭露，抒发了对这些只会念经，不事生产的特种流氓、蛀虫的痛恨和嘲笑。甚至发出这样的感叹："何人留下禅空话，留取尼僧化稻粮。"又说："若使此辈成佛道，西天依旧黑漫漫！"几百年后，诵读之下，仍为之一快。

中国自古神道设教，以补政治之不足，日久流为形式，即愚氓亦知其虚幻。然苦于现实之残酷，仍跪拜之，以为精神寄托。所以，凡是以佛法结尾的小说，并非其真正主题，乃是作者对历史的无情，所做的无可奈何的哀叹。

《金瓶梅》的真正主题是什么呢？鲁迅说：

故就文辞与意象以观《金瓶梅》，则不外描写世情，尽其情伪，又缘衰世，万事不纲，爰发苦言，每极峻急，然亦时涉隐曲，猥黩者多。

这是一部末世的书，一部绝望的书，一部哀叹的书，一部暴露的书。

　　　　　　一九八五年八月二十六日
　　　　昨夜雨，晨四时起作此文，下午二时草讫

买 《世说新语》 记

　　我们知道，鲁迅先生不好给青年人开列必读书目，但他给许寿裳的儿子许世瑛开的那张书目，对我们这一代青年，却发生了意想不到的影响。我记得在进城以后，大家都争先恐后地搜集那几本书。《世说新语》就是其中的一种。

　　我先在南市地摊上，买了一本启智书局铅印的本子，只有上册。这本书后来送人了。

　　不久我在南开区一家废纸店，买了一部四部丛刊黑纸本的《世说新语》。那时，四部丛刊流落街头的很多，旧书店只收一些成套的白纸本，黑纸本无人过问，就都卖给废纸店了。这部书一共三册，我给他三角钱，他已经很高兴了。

　　四部丛刊本的《世说新语》，是影印的明袁氏嘉趣堂刊本，首页有袁褧写的序，他说：

晋人话言，简约玄澹，尔雅有韵，世言江左善清谈，今阅新语，信乎其言之也。临川撰为此书，采缀综叙，明畅不繁。孝标所注，能收录诸家小史，分释其义，训诂之赏，见于高似孙纬略。余家藏宋本，是放翁校刊本。

目录后所附的高氏纬略说：

宋临川王义庆，采撷汉晋以来，佳事佳话，为《世说新语》，极为精绝，而犹未为奇也。梁刘孝标注此书，引援详确，有不言之妙。

从以上两段引文，可见古人对此书的评价。这是当之无愧的。

后来，我又在天祥市场，买了一本唐写本《世说新书》。是罗振玉印的，极讲究，大本宣纸。这是《世说新语》最古的本子，系长卷，分藏于四个日本人家，罗氏借来合印的。末附罗振玉手写的长跋，其中包括杨守敬初见此卷时的题跋。

这个写本，后来附印在中华书局一九六二年影印的，宋绍兴八年，广川董芬，据晏殊校定本所刻的《世说新语》的后面，当然是大大缩小了。这部书，我也购存一部。末附宋人汪藻所作叙录，包括书名篇数考证，考异，人名谱各一卷。

我买唐写本时，并不是打算考证《世说新语》的源流，对于这种学问，我是一无所知的。是为了习字。唐人写经，我已经有了几种，很喜欢这种楷法，这个写本，字更精彩，也大一些。

买来以后，我临写过两次，发见：这个写本，虽为考古家所重，当作字帖也很好。如果当作书籍来读，就很费劲。抄写时，脱字、错字很多，很多地方，读不成句，或不明其义。此外，有些字的写法，也很特别，虽系古法，已不适用于今日。

唐时，书籍靠抄写，为人抄写经卷，是一种职业。但这些书手，只写得一手好字，文化却不高明。抄写错漏之处，也不愿修改，因为那样一来，会使得卷面不干净，引起主人的不满。如果主人再不察，随即束之高阁，那就只能以讹传讹了。

无论是晏殊校本，还是陆游校本（实际也是根据的晏殊校本，即董荓刻本），都是在传写的基础上，经过整理的。古籍经过整理，总要进一步，但也要看整理者是什么人。如果遇人不淑，不学无术，妄自尊大，那古书的命运就很难说了。晏、陆二家，一代名宿，所校当然可靠。但四部丛刊本陆游跋语甚简略，并未说曾经他校改。文字可疑之处，已经后人校出，列于书后。

四部丛刊本《世说新语》，虽系明刻，实际上重开宋本，仅次真迹一等，确是善本。我现在阅读的，主要是这个本子。

我还从天津古籍书店，买过一部光绪十七年，湖南思贤讲舍刻的，经王先谦、叶德辉校勘的本子，共四册。第一册多题跋、释名，各一卷，第四册多考证、校勘小识，引用书目、佚文各一卷。材料多一些，但读起来，还是不如四部丛刊本醒目。

这部书，在书店翻阅时，标的定价是四元，当时我没买。后来，请他们给我送来，书价已改为六元。临时加码，装入私囊，这是一些书商的惯技，所遇已非一次，我只好任他敲了一下轻轻的竹杠，权当送他的车马费。

杨守敬跋唐写本云：

自规箴篇孙休好射雉起，至张闿毁门止，其正文异者数十字，其注异文尤多，所引管辂别传，多出七十余字，窃谓此卷不过十一条，而差异若此。

这是考据家的发见，应该尊重，但与读书关系不大。

后来的整理本，删去管辂别传七十余字，是因为这一注文过长，有些文字与正文关联不大。其他个别字的差异，则因为写本的遗漏或错误。如元帝过江犹好酒一条，末句："酌酒一酺，从是遂断。"写本作"酌酒一唾从此断"，显然不雅。远公在庐山一条，"执经登坐，讽诵朗畅"句，写本脱"朗畅"二字，使句子不整。

像《世说新语》这类书，记载的是历史人物的言行，在古代，曾被列入史部，后来才改为子部小说类。史评家刘知几，曾对这样的"史书"，作如下评论：

> 孝标善于攻缪，博而且精，固以察及泉鱼，辨穷河豚。嗟乎！以峻（孝标名——耕堂注）之才识，足堪远大。而不能探颐彪峤，纲罗班马，方复留情于委巷小说，锐思于流俗短书，可谓劳而无功，费而无当者矣。（《史通》）

但真正的历史家，例如司马光，在他撰写《资治通鉴》时，却常常取材于这类"小说"，读者信之，不以为非。

在古代，历史和小说，真是难分难解，能否吸取它的精华，全看自己的鉴裁眼光如何。

《世说新语》这部书的好处和价值，已见开篇引文。

为更使览者明确，再引鲁迅论断：

> 《世说新语》，今本凡三十八篇，自德行至仇隙，以类相从，事起后汉，止于东晋。记言则玄远冷俊，记行则高简瑰奇，下至缪恿，亦资一笑。孝标作注，又征引浩博，或驳或申，映带本文，增其隽永。所用书四百余种，今又多不存，故世人尤珍重之。（《中国小说史略》）

我读这部书，是既把它当作小说，又把它当作历史的。以之为史，则事件可信，具体而微，可发幽思，可作鉴照。以之为文，则情节动人，铺叙有致；寒泉晨露，使人清醒。尤其是刘孝标的注，单读是史无疑，和正文一配合，则又是文学作品。这就是鲁迅说的"映带"，高似孙说的"有不言之妙"。这部书所记的是人，是事，是言，而以记言为主。事出于人，言出于事，情景交融，语言生色，是这部书的特色。这真是一部文学高妙之作，语言艺术之宝藏。

虽是小品，有时像诗句，有时像小说梗概，有时像戏剧情节。三言两语，意味无尽。这是中国一种特殊的文体，一种文史结合，互相生发的艺术表现形式。

人言东晋，清谈误国，是否如此，不得而知。统观此书，其谈吐虽冲远清淡，神韵玄虚，然皆有助于世道人心之向善，即所记人物行止，亦皆备惩劝之功能，绝非虚无出世之释道思想，所可比拟也。

此书尚有清代纷欣阁刻本，亦称善本，寒斋未备。

一九八六年十二月二十日记

谈笔记小说

　　中国的所谓笔记小说，由来已久，汉晋已有，就是先秦经籍中，也有类似的断片。至唐宋而大兴，推演至明清，这种书籍，可以说是浩如烟海，杂列并陈，在中国文化遗产中，占有很大的部分。在寒斋的藏书中，也占很大的比重，几几乎有三分之一。

　　这原因是，我学习小说写作，初以为笔记小说，与这一学问有关。后来才知道，虽然历代相沿这样一个题目，其实是两回事：笔记是笔记，小说是小说，不能混为一谈。就是合编在一本书里，也应有所区别。古时，把这种文章是称为笔记的，如《西京杂记》、《太平广记》，后人才加上"小说"二字。再后又有人汇刊为《小说大观》、《说郛》、《类说》、《稗海》等书，就以为其中都是小说了。古时既以街谈巷议为小说，因此类似街谈巷议的笔记，也定为小说，自无不可。但从此笔记和小说含义也就混同起来了。笔记小说的含义，和后来小说的含义，有很大不同。

我们按照今天小说的含义，去分析古代的笔记小说，其中大部分是笔记，但也有一小部分，可以称为小说。例如《西京杂记》、《酉阳杂俎》这些古书，里面就包含一部分小说。

中国小说史，把《世说新语》列为小说。因为这部书主要记的是人物的言行，有所剪裁、取舍，也有所渲染、抑扬。而且文采斐然，语言生动，意境玄远。至于后来这一体系的书，如《续世说》、《今世说》、《新世说》、《唐语林》、《何氏语林》等，因既无创造，亦无文采，就只能称之为笔记，不能再称为小说了。

亦有虽标笔记之名，而实为小说者。如纪昀之《阅微草堂笔记》。乍看也可算是笔记，然所记中，既有作者的主观寓意，又多想象描写，文采副之，实是文学作品，不是零碎材料。流风所至，清朝末年产生了一批仍以笔记相称，而实际已脱离笔记轨道的小说，如《淞隐漫录》等。其中上乘者少，下乘者多，内容与形式，都流于肤浅无聊。

所以，今天中华书局等出版部门，整理这类书籍，都已经正其名曰"笔记"，如唐宋笔记、明清笔记，不再称"小说"。

笔记主要是记载一朝一代的军国大事，朝政得失，典章文物，或是记述一代人物的思想言行。其目的都标榜是为补正史之不足，或是以世道人心为念，记述前事，作为借鉴，教育后人。文字都是简短的，每条自成起讫。

我的唐人笔记，有十几种。宋人笔记有数十种。宋人的笔记流传下来的这样多，是因为印刷术的进步。也因为有很长时期，国家太平无事。

这些书，有些是过去商务编印的丛书集成的零种，有些是涵芬楼校印的线装宋元笔记，有些是近年古籍出版社和中华书局的新印本。元、明、清的笔记，也有几十种。其中石印本的清人笔记，多已送人。但重要的著作，近年新整理的本子，还有不少。还有一些木版的笔记，大都是过去木版丛书的零种。其中知不足斋丛书零本最多。

既然购置了如许多的笔记，当然也看过一部分。我的印象是：唐人的笔记，多系名家作品，文笔好，内容也扎实，有意义，最可读。宋人的笔记，多出自名公臣卿，内容也充实，有史料价值。但有些已经杂乱起来，因此有高下之分。要之如司马光之《涑水纪闻》、欧阳修之《归田录》，识见，文笔，取材，都高人一等。因为这些大人物既能见闻大事，所记能存真，又有修养，对材料能取舍，有判断。不像后来明清的一些笔记，以山野草茅，妄谈朝堂宫苑之事，辗转传闻，致有千里之失。笔记也像其他著作一样，越古老越可观，因所记材料宝贵也。明清笔记虽多，没有经过时间的淘汰，还处在一种糠米不分的状态。

有笔记式的小说，有小说式的笔记。如《夷坚志》，笔记式的小说也。如《东轩笔录》，则有很多条目，是小说式的笔记。

笔记以记载史实，一代文献典故为主，如宋之《东斋纪事》、《国老谈苑》、《渑水燕谈录》，所记史料翔实，为人称道。如《梦溪笔谈》、《容斋随笔》，则以科学研究学术成绩，及作者之见解修养为人重视。

笔记，常常也有所谓秘本、抄本的新发见，然不一定都有多大价值。有价值之书，按一般规律，应该早有刊刻，已经广为流传，虽遭禁止，亦不能遏其通行。迟迟无刻本，只有抄本，自有其行之不远的原因。我向来对什么秘籍、孤本、抄本，兴趣不大。过去涵芬楼陆续印行之秘籍，实无多少佳作。

有的笔记，名声赫赫，印刷亦精，但也不一定就证明其杰出。如清之《两般秋雨盦随笔》，各种印本，一再发行，只为其文字浅近，内容亦为浅识者所喜而已。亦有虽系名家所记，然内容杂乱无章，比较零碎，如《随园随笔》。

元明笔记，就其内容规模而言，仍以《南村辍耕录》及《万历野获编》为佳。

笔记以内容真实客观，作者态度端正为主。文胜于质，不如质胜于文。金刘祁《归潜志》中，载《录崔立碑事》一则，对自己参与为叛将撰写碑记，详叙经过，自我反省。人以为诚信，推重其著作，所记史实，多为正史所收取。宋蔡絛《铁围山丛谈》，多文过饰非之作，正与其处世为人同。然此等书，不可因人废言，认真察看，亦有可取之处。

清代的笔记虽然多，我认真地即是通篇读过的，有《啸亭杂录》、《永宪录》、《郎潜纪闻》等。《郎潜纪闻》共"三笔"，作者陈康祺。文字流畅，叙述亦生动，能读下去。但在第一部，发现两处墨笔眉批。一处记作者经历，眉批曰："毫不知耻，抑何厚颜！"一处记他人事迹，眉批曰："阁下愧此多矣，何仍作欺人语耶？"这恐怕是同时代人阅读时批注的，愤愤之情，溢于言表。当然不能根据两处眉批，就否定这部书的价值，但也不能怀疑，这种看来深知作者底细，推敲文字并揭疮疤的人，是出于"嫉妒"或是报复。总之，著述要修辞立诚，立身尤其要谨慎端正。

以上所谈，当然都是古道，会被时髦文士，看作"四旧"陈言。时髦文士，专攻时文，闻鸡起舞，举一反三。他们在"四人帮"时代，初露角刺，已经写下不少造谣生事，伤天害理的文章。有人至今秉性不改，仍以善观风向气色自居。对过去文字，不只无刘祁的良心发见，悔恨之辞，别人偶有触发，仍惯于结帮连伙，加以反噬。不怕云山罩，就怕老乡亲。难得有知其老底之人，将其前前后后文字，汇编成册，批注点明。如此一来，或将使其通体虚伪善变之情状，暴露于读者眼前。

　　　　　　　　　一九八四年九月二十一日下午

我的金石美术图画书

初进城时，我住在这个大院后面一排小房里，原是旧房主杂佣所居。旁边是打字室，女打字员昼夜不停地工作，不得安静。我在附近小摊上，买了几本旧书，其中有一部叶昌炽著的《语石》，商务国学基本丛书版，共两册。

我对这种学问，原来毫无所知，却一字一句地读下去，兴趣很浓。现在想来：一是专家著作，确实有根柢。而作者一生，酷爱此道，文字于客观叙述之中，颇带主观情趣，所以引人入胜。二是我当时处境，已近于身心交瘁，有些病态。远离尘世，既不可能，把心沉到渺不可寻的残碑断碣之中，如同徜徉在荒山野寺，求得一时的解脱与安静。此好古者之通病欤？

叶昌炽是清末的一名翰林，放过一任学政，后为别人校书印书。不久，我又买了他著的《藏书纪事诗》和《缘督庐日记摘钞》，都认真地读了。

我有一部用小木匣装着的《金石索》，是石印本，共二十册，金索石索各半。我最初不大喜欢这部书，原因是鲁迅先生的书账上，没有它。那时我死死认为：鲁迅既然不买《金石索》，而买了《金石苑》，一定是因为它的价值不高。这是很可笑的。后来知道，鲁迅提到过这部书，对它又有些好感，——给它们包装了书皮。"文革"结束，我曾提着它送给一位老朋友，请他看着解闷。这是我以己度人，老朋友也许无闷可解，过了不久，就叫小孩，又给我提回来，说是"看完了"。我只好收起。那时，害怕"四旧"的观念，尚未消除，人们是不愿收受这种礼物的。

也好，目前，它顶着一个花瓶，屹立在四匣三希堂法帖之上，三个彩绿隶体字，熠熠生辉，成为我书房的壮观一景。还有人叫我站在它的旁边，照过相。可以说，它又赶上好时光、好运气了，当然，这种好景，也不一定会很长。

大型的书，我买了一部《金石粹编》。这是一部权威性著作，很有名。鲁迅书账有之，是原刻本。我买的是扫叶山房石印本，附有《续编》《补编》，四函共三十二册。正编系据原刻缩小，字体不大清楚，通读不便，只能像用工具书，偶尔查阅。续编以下是写印，字比较清楚，读了一遍。

有一部小书，叫《石墨镌华》，是知不足斋丛书的零种。书小而名大，常常有人称引。读起来很有兴趣，文字的确好。同样有兴趣的，是一本叫《金石三例》的书，商务万有文库本，也通读过了。因为对这种学问，实在没有根基，见过的实物又少，虽然用心读过，内容也记不清楚。

原刻的书，有一部《金石文编》，书很新，字大悦目，所收碑版文字，据说校写精确，鲁迅先生也买了一部。我没有很好地读，因为内容和孙星衍校印的《古文苑》差不多，后者我曾经读过了。

读这些书，最好配备一些碑版，我购置了一些珂罗版复制品，聊胜于无而已。知识终于也没有得到长进，所收碑名从略。

钱币也属于金石之学。这方面的书，我买过《古泉拓本》，《古泉杂记》，《古泉丛话》，《续泉说》等，都是刻本线装，印刷精致。还有一本丁福保编的《古钱学纲要》，附有历代古钱图样，并标明当时市价，可知其是否珍异。

我虽然置备了这些关于古钱的书，但我并没有一枚古钱。进城后，我曾在附近夜市，花三角钱，买了一枚大钱，"文革"中遗失了，也忘了是什么名号。我只是从书中，看收藏家的趣味和癖好。

大概是前年，一青年友人，用一本旧杂志，卷着四十枚古钱，寄给我，叫我消遣。都是出土宋钱，斑绿可爱。为了欣赏，我不只打开《历代纪元编》认清钱的年代；还打开《古钱学纲要》，——辨认了它们的行情，都是属于五分、一角之例，并非稀有。但我心里还是有些不安，小大属于文物的东西，我没有欲望去占有。我对古董没有兴趣。它们的复制品、模仿品，或是照片，对我来说，就足够了。我只是想从中得到一点常识，并没有条件和精力，去进行认真的研究。我决定把这几十枚古钱，交还给那位青年友人。并说明：我已经欣赏过了。我的时光有限，自己的长物，还要处理。别人的东西，交还本人。你们来日方长，去放着玩吧。

我还买了一些印谱，其中有陈簠斋所藏《玉印》，《手拓古印》；丁、黄、赵名家印谱，《陈师曾印谱》，《汉铜印丛》等，大都先后送给了画家和给我刻过印章的人。

关于铜镜的书，则有《簠斋藏镜》，以及各地近年出土的铜镜选集。

关于汉画石刻，则有《汉代绘画选集》、《陕北东汉画像石刻选集》；还有较早出版的线装《汉画》二册一函，《南阳汉画像汇存》一册、《南阳汉画像集》一册。都是精印本。

《摹印砖画》、《专门名家》，则是古砖的拓本。

我不会画，却买了不少论画的书。余绍宋辑的《画论丛刊》、《画法要录》，都买了。记载历代名画的《历代名画记》、《图画见闻志》、《宣和画谱》，以及大型的《佩文斋书画谱》，也都买了。佩文斋书画谱，坊间石印本很多，阅读也方便。我却从外地邮购了一部木刻本，洋洋六十四册，古色古香。实际到我这里，一直尘封未动，没有看过。此又好古之过也。

古人鉴定书画的书，我买了《江村消夏录》、《庚子消夏记》。后者是写刻本，字体极佳。我还在早市，买了一部《清河书画舫》，有竹人家藏版，木刻本十二册，通读一过。因为未见真迹，只是像读故事一样。另有《平生壮观》一部，近年影印，未读。

文章书画，虽都称做艺术，其性质实有很大不同。书法绘画，就其本质来说，属于工艺。即有工才有艺，要点在于习练。当然也要有理论，然其理论，只有内行人，才能领会，外行人常常不易通晓，难得要领。我读有关书画之论，只能就其文字，领会其意，不能从实践之中，证其当否。陆机《文赋》虽玄妙，我细读尚能理解，此因多少有些写作经验。至于孙过庭的《书谱》，我虽于几种拓本之外，备有排印注疏本，仍只能顺绎其文字，不能通书法之妙诀。画论"成竹在胸"，"意在笔先"之说，一听颇有道理，自无异议，但执笔为画，则又常常顾此失彼，忘其所以。书法之论亦然："永字八法"，"如锥画沙"之论，确认为经验之谈，然当提笔拂笺，反增慌乱。因知艺术一事，必从习练，悟出道理，以为己用。不能以他人道理，代替自身苦工。更不能为那些

"纯理论家"的皇皇言论所迷惑。

我还买了一些画册，珂罗版的居多。如：《离骚图》、《无双谱》、《水浒全传插图》、《梅花喜神谱》、《陈老莲水浒叶子》、《宋人画册》等。

水浒叶子系病中，老伴于某日黄昏之时，陪我到劝业场对过古旧书店购得。此外还有《石涛画册》、《华新罗画册》、《仇文合制西厢图册》等，都是三十年代出版物，纸墨印刷较精。

木刻水印者，有《十竹斋画谱》，已为张的女孩拿去，同时拿去的，还有一部《芥子园画传》（近年印本）。另有一部木刻山水画册，忘记作者名字，系刘姓军阀藏书，已送画家彦涵。现存手下的，还有一部《芥子园画传》，共四集，均系旧本，陆续购得。其中梅菊部分，系乾隆年间印刷，价值尤昂。今年春节，大女儿来家，谈起她退休后，偶画小鸟，并带来一张叫我看。我说，画画没有画谱不行，遂把芥子园花鸟之部取出给她，画册系蝴蝶装，亦多年旧物也。大女儿幼年受苦，十六岁入纱厂上班，未得上学读书。她晚年有所爱好，我心中十分高兴。

一九八七年九月十五日写讫

附记：一九四八年秋季，我到深县，任宣传部副部长，算是下乡。时父亲已去世，老区土改尚未结束，一家老小的生活前途，萦系我心。在深县结识了一位中学老师，叫康迈千。他住在一座小楼上。有一天我去看他，登完楼梯，在迎面挂着的大镜子里，看到我的头部，不断颤动。这是我第一次发现自己的病症，当时并未在意，以为是上楼梯走得太急了，遂即忘去。

本文开头，说我进城初期，已近于身心交瘁状态，殆非夸大之辞。

一九五六年，大病之后，结发之妻，虽常常独自饮泣，但她终不知我何以得病。还是老母知子，她曾对妻子说："你别看他不说不道，这些年，什么事情，不打他心里过？"

那些年，我买了那么多破旧书，终日孜孜，又缝又补。有一天，我问妻子："你看我买的这些书好吗？"

她停了一下才说：

"喜欢什么，什么就好。"

她不识字，即使识字，也不会喜欢这些破旧东西的。

有时，她还陪我到旧书店买书。有一次，买回一本宣纸印刷的《陈老莲水浒叶子》，我翻着对她说：

"这就是我们老家，玩的纸牌上的老千、老万。不过，画法有些不一样。"

她笑着，站在我身边，看了一会儿。这是她第一次，也是仅有的一次，同我一起，欣赏书籍。平时，她知道我的毛病，从来也不动我的书。

我买旧书，多系照书店寄给我的目录邮购，所谓布袋里买猫，难得善本。版本知识又差，遇见好书，也难免失之交臂。人弃我取，为书店清理货底，是我买书的一个特色。

但这些书，在这些年，确给了我难以言传的精神慰藉。母亲、妻子的亲情，也难以代替。因此，我曾想把我的室名，改称"娱老书屋"。

看过了不少人的传记材料，使我感到，中国人的行为和心理，也只能借助中国的书来解释和解决。至于作家，一般的规律为：青年时期是浪漫主义，老年时期是现实主义。中年时期，是浪漫和现实的矛盾冲突阶段，弄不好就会出事，或者得病。书无论如何，是一种医治心灵的方剂。

九月十七日

我的 《二十四史》

　　一九四九年初进城时，旧货充斥，海河两岸及墙子河两岸，接连都是席棚，木器估衣，到处都是，旧书摊也很多，随处可以见到。但集中的地方是天祥市场二楼，那些书贩用木板搭一书架，或放一床板，上面插列书籍，安装一盏照明灯，就算是一家。各家排列起来，就构成了一个很大的书肆。也有几家有铺面的，藏书较富。

　　那一年是天津社会生活大变动的时期，物资在默默地进行再分配，但进城的人们，都是穷八路，当时注意的是添置几件衣物，并没有多少钱去买书，人们也没有买书的习惯。

　　那一时期，书籍是很便宜的，一部白纸的四部丛刊，带箱带套，也不过一二百元，很多拆散，流落到旧纸店去；各种二十四史，也没人买，带樟木大漆盒子的，带专用书橱的，就风吹日晒的，堆在墙子河边街道上。

书贩们见到这种情景，见到这么容易得手的货源，都跃跃欲试，但他们本钱有限，货物周转也不灵，只能望洋兴叹，不敢多收。

　　我是穷学生出身，又在解放区多年，进城后携家带口，除谋划一家衣食，不暇他顾。但幼年养成的爱书积习，又滋长起来。最初，只是在荒摊野市，买一两本旧书，放在自己的书桌上。后来有了一些稿费，才敢于购置一些成套的书，这已经是一九五四年以后的事了。

　　最初，我从天祥书肆，买了一部涵芬楼影印本的《史记》，是据武英殿本。本子较小，字体也不太清晰。涵芬楼影印的这部二十四史，后来我见过全套，是用小木箱分代函装，然后砌成一面小影壁，上面还有瓦檐的装饰。但纸张较劣，本子较小是它的缺点，因此，并不为藏书家所珍爱。很长一段时间，人们喜爱同文书局石印的二十四史，它也是根据武英殿本，但纸张洁白而厚，字大行稀，看起来醒目，也是用各式小木箱分装，然后堆叠起来，自成一面墙，很是大方。我只买了一部《梁书》而已。

　　有一次，天祥一位人瘦小而本亦薄的商人，买了一套中华书局印的前四史，很洁整，当时我还是胸无大志，以为买了前四史读读，也就可以了，用十元钱买了下来。

因为开了这个头，以后就陆续买了不少中华书局的二十四史零种。其实中华书局的四部备要本二十四史，并不佳。即以前四史而言，名为仿宋，字也够大，但以字体扁而行紧密，看起来，还是不很清楚。以下各史，行格虽稀，但所用纸张，无论黑白，都是洋纸，吸墨不良，多有油渍。中华书局的二十四史，也是据武英殿本重排，校刊只能说还可以，总之，并不引人喜爱。清末，有几处官书局，分印二十四史，金陵书局出的包括《史记》在内的几种，很有名，我也曾在天祥见过，以本子太大，携带不便，失之交臂之间。

我的《南史》和《周书》，是光绪年间，上海图书集成印书局校印本，字体并不小，然字扁而行密，看起来字体连成一线，很费目力。清末民初，用这种字体印的书很不少，如《东华录》、《纪事本末》等。这种书，用木板夹起，"文化大革命"中，抄书发还，院中小儿，视为奇观，亦可纪也。

我的《陈书》是商务印书馆四部丛刊的百衲本。这种本子在版本学术上很有价值，但读起来并不方便。我的《新五代史》，是刘氏玉海堂的覆宋本，共十二册，印制颇精。

国家标点的二十四史，可谓善本，读起来也方便。因为有了以上那些近似古董的书，后来只买了《魏书》、

《辽史》。发见这种新书，厚重得很，反不及线装书，便利老年人阅读。

这样东拼西凑，我的二十四史，也可以说是百衲本了。

一九八〇年十二月

我的书目书

　　要购买一些古籍旧书，书目是不可缺少的，虽不能说是指路明灯，总可以增加一点学识，助长一些兴趣。但真正实用的书目，也并不很多。解放初期，我是按照鲁迅先生开给许世瑛的书目，先买了一部木版四库全书简明目录，是在天津鬼市上以廉价买的，两函，共十二册。后来又买了四库全书总目，是商务印书馆的万有文库本，共四十册，在"文化大革命"中散失了。在动乱中，我丢失了不少书目书，其中包括印得非常豪华的西谛书目，以及四库简明目录标注这种很切实用的书。我一直很奇怪，为什么有人喜欢这种近于无用之物呢？过了好久，才领悟出来：原来这些书目，是和辞源、各种大词典一类工具书放在一起，抄家时捆在一起运出去了。到了什么地方，一定是有人想要那些辞源、词典，就把捆拆散了。因此那些书目，就堆落在地下，无人收拾，手扔脚踢，就不见了。书籍发还时，我开列了一张遗失书籍单，共近百册，还都是古旧书，颇引起一些人的惊异，问道：你平日记忆力那样坏，为什么对于这些破书，记得如此清楚？执事者倒也客气，回答说：你丢的那些书，我们的书堆里都有，就是上面没有你的图章。我平日买书很多，很少在上面打图章，也很少写上名字，当时好像就有一个想法，书籍这种东西，过眼云烟，以后不知落于谁人之手，何必费这些事呢？后来给我找来一本偶尔印有图章的《贩书偶记》，我一看已经弄得很脏，当场送给了别人，也就不想再去查寻这些书目了。

闲话少说，且说我那一部四库总目，是万有文库本，我还配购了查禁、抽毁、销毁书目。这种万有文库，无论从版式、印刷、纸张、装订上讲，都是既实用，又方便，很好的古籍读本。书籍印刷，正如一切文化现象，并不都是后来居上的，它也是迂回曲折的。至少在目前，就没有这样一种本子：道林纸印，线密装，封皮柔韧，字号行间，都很醒目，我现在用来补救的，是又买了一本中华书局影印的大本。姑无论这么一块长城砖头似的书，翻阅极为不便；又因为它是一页之上，分三栏影印，字体细密，亦非老年人轻易所能阅读。但我还是买了一本，炉存似火，聊胜于无。

总目学术价值很大，但并不是购置旧书的门径书。因为它所采用的版本，已经近于史书的艺文志，现在无从寻觅。其他一些古代公私书目，也是如此。比较实用的，则是四库简明目录标注，现在归上海古籍出版社印刷，很易得。我原有一本丢失了，又买了一本。它的好处是在各书的后面，都注明近代的版本。张之洞的《书目答问》，也有这个好处，且更简明。近年更有人辑录小说书目、杂剧书目，对于研究此道者，更为方便。

我有一部清末琉璃厂书肆编印的《书目汇刻》，正续两编，有当时出版的各种丛书的细目，很便查考。另有一部直隶津局运售各省书籍总目，是李鸿章当政时刻印的。据此，可以略知当时各省书局所印的书。还附有上海制造局所印的一些地理、数学、机械、化学方面的书籍目录，反映了当时崇尚新学的特点。并从价目上，可知当时印书用纸的名目，如官堆、料半宣、杭连、赛连、头太、毛太之类。

一九八〇年十二月

我的经部书

因为我特别爱好书，书就成了生死与共之物。

发还抄家书籍，好像是在一九七三年，那时我还住在佟楼。第二年春天，迁回多伦道旧居，书籍亦随之回归。那时我正在白洋淀，参加一个剧本的制作，搬家的事，由同居张氏照料，报社文艺组同人帮忙。后来文艺组同志们打扑克，谁要是牌运不佳，就说：孙犁搬家，总是书（输）。从这一谚语的形成，可见当时书的盛况。

等我回来以后，书籍还堆积在屋当中的地板上，如同一个土丘。冬季，稍事安排整理，我记录了一本"残存书籍草目"，是逐柜填写的，很杂乱无章。后又在一本《书目答问》上，用红铅笔，把我所有的，点一个记号，在书目之上。这是单凭记忆做的，那时对书籍的记忆犹新，很少遗漏，现在再想这样做，是做不到了。

从这些红点上，可以看出我藏书的大略。当然，《书目答问》以外的书，不在此列。也可以看出，进城以后，我读书的过程。

但经部书寥寥，在书目上，几乎看不到红点。有红点的，也是一些无关紧要的小书，如《考工记图》、《白虎通义》、《燕乐考原》之类。这证明我当时对经书，是没有多大兴趣的，买以上小书，也并非是为了"明经"，而是当做杂记之类的书买的。

其实，几种主要的经书，我还是收藏了的，不知为什么没有画上红点。《周易》，王弼注，四部丛刊影印宋本。《礼记》，郑氏注，四部丛刊影印宋本。《论语》，何晏集解，四部丛刊影印日本正平刊本。《孟子》，赵氏注，四部丛刊影印宋本。

这些，都是古本古注，字大清楚，眉目整齐，翻翻看看，实在痛快，不能不叹古人印书之下工夫。

《春秋左传》，杜预注。商务印书馆大字排印本，油光纸，线装十二册。这是当时的一种普通读本，现在看起来，无论纸张、印刷、装订，都还是难得的。此书装修于一九七六年三月五日。时家庭有事，居室不安，我在新包书皮上，写有几段文字，实为当时个人私虑，一时心声。后念不雅，恐异日得此书者，不能理解，徒增疑闷，乃剪去之。用同类纸贴补，又嫌不好看，用近年一些青年人为我刻的图章，装饰了一下。这一切种种，都证明老年人的神魂颠倒，情意无聊。也证明我实在没有能从经书中，得到什么修养。

此外，书架上还有四部备要本的《毛诗正义》，《尚书古今文注疏》等等。

我自幼上的是洋学堂，没有念过四书五经，总觉得是个遗憾。上初中时，曾先后两次买过坊间石印的四书，和商务的大字排印本，好像也没有细读，这些书，后来也就都丢了。抗战时期，我赴延安，书袋里还装着一本线装的《孟子》。这说明，我是一直想补上这一课，而终于不能无师自通，没能补上。

过去的学龄儿童，真不知道是怎样对付四书五经的，靠死背硬记，逐渐领会，居然能读懂，并能学以致用，我想象不出这个过程。

崔东壁介绍他父亲教孩子们读经书的办法是：

> 教人治经，不使先观传注。必先取经文，熟读潜玩，以求圣人之意。俟稍稍能解，然后读传注以证之。

这就更玄了。"熟读"，是可以想象的；"潜玩"就有些莫名其妙。一个小孩子如何能够去"求圣人之意"呢？

但崔东壁绝不会是说诳话，他就是用这个办法，造就成的一位大经学家。

崔东壁又说：

> 奉先人之教，不以传注杂于经，不以诸子百家杂于经传。……然后知圣人之心，如天地日月，而后人晦之者多也。

以上两段文字，均见他的"考信录自序"。后面一段，是和上段相承，谈他自己治经学的方法的。

学问一事，确实是有多种方法，多种渠道，不能刻舟求剑的。我天性驽钝，基础差，读古籍，总是要靠注的。但也不喜欢过于烦琐的注，并相信古注。也发现有些注，确是违反了著作的原意。

我对经书，肯定是无所成就了。难道就是因为我没有上过私塾吗？

难道中国的经书，必须在幼年时背过，才能在一生中，得到利用吗？

当初，孔子向老子问道的时候，老子只简单地回答了几句话：

> 子所言者，其人与骨，皆已朽矣，独其言在耳。

且君者，得其时则驾；不得其时则蓬累而行。

自古以来，经书对于人，人对于经书，不过如此而已，吾何恨焉！

一九九〇年六月十八日改讫。大热，挂蚊帐

我的史部书

按照四部分类法，史部包括：正史、编年、纪事本末、古史、别史、杂史、载记、传记、诏令奏议、地理、政书、谱录、金石、史评，共十四类。每类又分小项目，如杂史中有：事实、掌故、琐记。这显然不很科学，也很烦琐。但史书，确实占有中国古籍的大部。经书没有几种，占据书目的，不是经的本文，而是所谓"经解"。

历代读书界，都很重视史书，经史并重，甚至有六经皆史之说。我国历史悠久，史书汗牛充栋，无足奇怪。

人类重史书，实际是重现实。是想从历史上的经验教训，解释或解决现实中存在的问题。

我在青年时，并不喜好史书。回想在学校读书的情况，还是喜欢读一些抽象的哲学、美学，或新的政治、经济学说。至于文艺作品，也多是理想、梦幻的内容。这是因为青年人，生活和经历，都很单纯，遇到的，不过是青年期的烦恼和苦闷，不想，也不知道，在历史著作中去寻找答案。

　　进城以后，我好在旧书摊买书，那时书摊上多是商务印书馆的书，其中四部丛刊、丛书集成零本很多，价钱也便宜，我买了不少。直到现在，四部丛刊的书，还有满满一个书柜。丛书集成的零本，虽然在佟楼，别人给胡里胡涂地卖去一部分，留下的还是不少，它的书型和商务的另一种大型丛书——万有文库相同，现在合起来，占据半个书柜。剩下的半个书柜，叫商务的国学基本丛书占用。

　　此外，还买了不少中华书局的四部备要零本，都是线装——其中包括十几种正史。

　　这些书中，大部分是史部书。书是零星买来的，我阅读时，并没有系统。比如我买来一部《建炎以来朝野杂记》，认真地读过了，后来又遇到《建炎以来系年要录》，我就又买了来，但因为部头太大，只是读了一些部分。读书和买书的兴趣，都是这样引起，像顺藤摸瓜一样，真正吞下肚的，常常是那些小个的瓜，大个的瓜，就只好陈列起来了。

　　还有一个例子，进城不久，我买了一部《贞观政要》，对贞观之治和初唐的历史，发生了兴趣，就又买了《大唐创业起居注》、《隋唐嘉话》、《唐摭言》（鲁迅先生介绍过这本书）、《唐鉴》、《唐会要》等书。这些书都是认真读过了的。

还有一个小插曲：五十年代，当一个朋友看到我的书架上有《贞观政要》一书，就向别人表扬我，说："谁说孙犁不关心政治？"其实，我是偶然买来，偶然读了，和"关心政治"毫无关系。

又例如：我买了一部《大唐西域记》，后来就又买了《大唐玄奘法师传》。这部书是大汉奸王揖唐为他父亲的亡灵捐资刻印的，朱印本，很精致，只花了八角钱，卖书小贩还很高兴。再例如，因为从《贞观政要》，知道了魏徵，就又买了他辑录的《群书治要》，这当然已非史书。

买书就像蔓草生长一样，不知串到哪里去。它能使四部沟通，文史交互。涉猎越来越广，知识越来越增加。是一种收获，也是一种喜悦。

我买的史部书很多，在《书目答问》上，红点是密密的，尤其是杂史、载记部分。关于靖康、晚明、清初、太平天国的书，如《靖康传信录》、《松漠纪闻》、《荆驼逸史》、《绥寇纪略》、《痛史》、《太平天国资料汇编》，都应有尽有。对胜利者虽无羡慕之心，对失败者确曾有同情之意。

但历史书的好处在于：一个朝代，一个人物，一种制度的兴起，有其由来；灭亡消失，也有其道理。这和看小说，自不一样。从中看到的，也不只是英雄人物个人的兴衰，还可看到一个时期，广大人民群众的兴奋和血泪，虽然并不显著。

经过抗日战争、解放战争、土地改革、全国胜利，进入天津以后，我已经到了不惑之年。本来可以安心做些事业了，但由于身体的素质差，精力的消耗多，我突然病了。

有了一些人生的阅历和经验，我对文艺书籍的虚无缥缈、缠绵悱恻，不再感兴趣。即使红楼、西厢，过去那么如醉如痴，倾心的书，也都束之高阁。又因为脑力弱，对于翻译过来的哲学、理论书籍，因为句子太长，修辞、逻辑复杂，也不再愿意去看。我的读书，就进入了读短书，读消遣书的阶段。

中国的史书，笔记小说，成了我这一时期的主要读物。先是读一些与文学史有关的，如《武林旧事》、《东京梦华录》、《梦粱录》、《西湖游览志》等书，进一步读名为地理书而实为文学名著的：《水经注》、《洛阳伽蓝记》。由纲领性的历史书，如《稽古录》、《纲鉴易知录》，进而读《资治通鉴》、《十六国春秋》、《十国春秋》等。

这一时期，我觉得历史故事，历史人物，比起文学作品的故事和人物，更引人入胜。《史记》、《三国志注》的人物描写，使我叹服不已。《资治通鉴》里写到的人物事件，使我牢记不忘。我曾把我这些感受，同在颐和园一起休养的一位同行，在清晨去牡丹园观赏时，情不自禁地述说了起来，但并没有引起那位同行的同调。

阅读史书，是为了用历史印证现实，也必须用现实印证历史。历史可信吗？我们只能说：大体可信。如果说完全不可信，那就成了虚无主义。但尽信书不如无书的古训，还是有道理的。

读一种史书之前，必须辨明作者的立场和用心，作者如果是正派人，道德、学术都靠得住，写的书就可靠。反之，则有疑问。这就是司马迁、司马光，所以能独称千古的道理。

一九九〇年六月二十一日写讫

我的子部书

子部书，在我的印象里，应该是那些古代思想家的书，例如周秦诸子，或汉魏时期，能成一家之言的著作。翻看《书目答问》，才知不然。子部的引首说：

> 周秦诸子，皆自成一家学术。后世群书，其不能归入经史者，强附子部，名似而实非也。

所以，这种旧的图书分类法，在子部表现得最为混乱。它包括：周秦诸子、儒、法、兵、农、小说、释道、医、杂各家。还包括天文算法、术数、艺术、类书。现把我所有的子部书，过去没有谈到的，择要叙述如下：

我的《荀子》，是王先谦集解本，思贤讲舍木刻本，字体工整，白纸。书的原主，还裱糊了一个极别致的书套，可以保护书的各个方面。《孔丛子》是万有文库本。《孙子》是近年中华印本。

我没有买到好版本的《管子》。《韩非子》现存的，是顾广圻校过的木刻本，远不如王先慎集解本阅读方便。这部书我青年时读过，"文革"后期，又抄录过重要篇章。《墨子》是孙诒让的《墨子间诂》，商务国学基本丛书本。书前有俞樾序，作于光绪二十一年。首称：

> 孟子以杨墨并言，辞而辟之。然杨非墨匹也。杨子之书不传，略见于列子之书，自适其适而已。墨子则达于天人之理，熟于事务之情。又深察春秋战国百余年间时势之变，欲补弊扶偏，以复之于古。郑重其意，反复其言，以冀世主之一听。虽若有稍诡于正者，而实千古之有心人也。尸佼谓孔子贵公，墨子贵兼，其实则一。韩非以儒墨并为世之显学。至汉世犹以孔墨并称，尼山而外，其莫尚于此老乎？

这说明墨学的重要，是晚清学者的一种见解。俞樾著述颇多，其《诸子平议》很有名，寒斋有之。我的这两本《墨子间诂》，虽是极普通的版本，但原主在书根上写的书名，秀整非常，可知也是很爱惜书的人，书保存得很干净。书后附有丰富的参考材料。

我的四部丛刊零本中，有《老子道德经》，是影印的宋本。此外有国学基本丛书本魏源撰《老子正义》，作为日常读本。《老子》一书，我虽知喜爱，但总是读不好，至今依然。《庄子》是影印明世德堂本的《南华真经》，共五册。此外有日常读本《庄子集解》。《庄子》一书，因中学老师，曾有讲授，稍能通解。

民国初年，夏曾佑著《中国古代史》，第二章第十二节，是《三家总论》，简单扼要地介绍了老、孔、墨三家学说的优缺。录其要点如下：

> 九流百家，无不源于老子。
>
> 道家之真不传。今之道家，皆神仙家。
>
> 老子于鬼神数术，一切不取，其宗旨过高，非多数人所解，故其教不能大。
>
> 凡学说与政论之变，其先出之书，所以矫前代之失者，往往矫枉过正。老子之书，有破坏而无建立，可以备一家之哲学，不可以为千古之国教。
>
> 孔子留数术而去鬼神，较老子近人，然仍与下流社会不合，故其教只行于上等人。
>
> 墨子留鬼神而去数术，然有天志而无天堂之福；有明鬼而无地狱之罪。是人之从墨者，苦身焦思而无报；违墨子者，放辟邪侈而无罚也。故上下之人，均不乐之，其教遂亡。

我读古书少，不求甚解，面对玄虚深奥之作，常常不得要领。夏氏讲解通俗，遂笔记焉。然他说：

> 佛教西来，兼老、墨之长，而去其短，遂大行于中国。

这就有些过头了。民初学者的见解，已和晚清，大有不同。学术总是随时代而变化其研究动向。学者对古代文化的评价，也是适应当时的政治要求和社会意识的。

以上为周秦诸子。汉魏子书：我有《法言》（汉扬雄）、《新语》（汉陆贾）、《新书》（汉贾谊）、《盐铁论》（汉桓宽）、《论衡》（汉王充）、《申鉴》（汉荀悦）、《潜夫论》（汉王符）、《人物志》（魏刘劭）等书，版本不一，有几种是《两京遗编》本。此丛书除字大悦目外，并无多少优长之处。好在我还有一些商务出版的，便于阅读的本子。读子书的要点：一是文字；二是道理。

此外，考订的书，我买得不少，是作为笔记小品读的。至于小说家的书，买的就更多了，书目所列，几乎全有。其中有一些好版本，因在别的文章中提到过，这里就不重复了。

释道书，也在子部。《宏明集》、《广宏明集》，都是辩论性的。我买的佛书有：《般若心经》，短小，读过，觉得好懂。《大乘起信论疏》、《大乘入楞加经》、《维摩诘所说经》，无兴趣，未细读，都是佛经流通处刻本。《妙法莲花经》是常州一名寺的木刻大字本，似僧尼用过。念经时一些音义，不直接注在经上；而是用小白方纸块写好，贴在经文旁边，非常奇特。经虽不很污旧，但我不愿翻阅，一直放在那里。还有一部谢灵运参加翻译的《大般涅槃经》，读过一部分。《法苑珠林》，共三十二册，四部丛刊本，都是佛经故事，号称妇女的佛经。读过一些。对于佛经，我总是领略不到它的妙处，读不进去，证明我尘心太重。我以为佛教之盛行，并不在它的经义，而在于它的宗教形式的庄严。所谓形式，包括庙宇，雕塑，音乐和绘画等。

一九九〇年六月二十七日写讫

耕堂曰：周秦诸子，号称百家，不过形容当时学术之盛。书目著录，已不过三十家，且多有逸伪，盖多数已消亡矣。清末浙江官书局，印有所谓百子全书，余曾购置零种，其书版大而纸劣，墨色不匀，字大而扁，颇不悦目。甚不喜之，已送人矣。因未见全书，不能断言，想系连同后代子书，拼凑而成。闻近有重印者，亦未过问。

百家争鸣之说，亦后人渲染耳。儒家为诸子之首，其学术主要为政治与教育两项，孔孟首发之，为历代帝王所尊用。其他诸子，有争鸣者，亦有自鸣者；有得意者，有不得意者。然其著述，则皆哲理多于实用，理想强于现实，虽皆有为而作，皆难施于生活。文化日渐发达，生活需要增多，学者遂不得不改弦更张，趋向实用。汉魏以后，多议论经济之书，如《盐铁论》、《齐民要术》等。此等书不多见，宋代又以朱子理学为子书之要。稍实际者，则为见闻杂志，读书笔记，或就事论事，或吸取经验。其杰出者如《梦溪笔谈》、《容斋随笔》等书。生活用书，门类增多。这是子部著述的必然趋向。

张之洞在《书目答问》中，用极大篇幅，著录农、医、天文算术、艺术各家之书，就是适应当时政治、教育的需要。他作为儒门弟子，感到只是儒家那一套，已经不中用了。

我的藏书中，以上各家的书，也略有购置，曾已述及。惟天文算术一类，因一窍不通，一本也没有。

《四库全书总目提要》子部总叙曰："自六经以外立说，皆子书也。"六经经儒家注释解说，实已成为樊篱。如上所言，子书实樊篱以外之说，笼外之鸣。总叙又说："虽有丝麻，无弃菅蒯"，"狂夫之言，圣人择焉"。表面上还是继承百家争鸣的传统的。这实是对修订四库全书这一政治行动的极大讽刺！这也说明："凡能自鸣一家者，必有一节之足以自立。"有价值的学术、言论、著作，是可以不胫而走，流传万世，不会轻易被消灭的。

七月一日补记

题文集珍藏本

一九九二年十二月四日，我刚吃完早饭，走出独单，百花文艺出版社的社长，还有一位女编辑，抱着一个纸盒子，从楼下走上来，他们把《孙犁文集》这一部书，放在我的书桌上，神情非常严肃，连那位平日好说好笑的女编辑，也一言不发，坐在沙发上。

这是一部印刷精美绝伦的书，装饰富丽堂皇的书。我非常兴奋，称赞出版社，为我办了一件大事，一件实事。女编辑郑重地说："你今天用了'很好'、'太满意了'这些你从来很少用的词儿。"

我告诉她：我走上战场，腰带上系着一个墨水瓶。我的作品，曾用白灰写在岩石上，用土纸抄写，贴在墙壁上，油印、石印和土法铅印，已经感到光荣和不易。我第一次见到印得这样华贵的书。

有好几天，我站在书柜前，观看这一部书。

我的文学的路，是风雨、饥寒，泥泞、坎坷的路。是漫长的路，是曙光在前、希望的路。

这是一部争战的书，号召的书，呼唤的书。也是一部血泪的书，忧伤的书。

争战中也含有血泪，呼唤中也含有忧伤，这并不奇怪，使人难过的是，后半部的血泪中，已经失去了进取；忧伤中已经听不见呼唤。

渐渐，我的兴奋过去了。忽然有一种满足感，也是一种幻灭感。我甚至想到，那位女编辑抱书上楼的肃穆情景：她怀中抱的那不是一部书，而是我的骨灰盒。

我所有的，我的一生，都在这个不大的盒子里。

一九九三年十一月一日

图书在版编目（CIP）数据

故事和书/孙犁著. —北京：生活·读书·新知三联书店，2010.1　（2012.10重印）
（中学图书馆文库）
ISBN 978－7－108－03349－9

Ⅰ.故…　Ⅱ.孙…　Ⅲ.随笔－作品集－中国－当代
Ⅳ. I267.1

中国版本图书馆 CIP 数据核字（2009）第 197425 号

责任编辑　王　竞
装帧设计　朱　锷
责任印制　徐　方
出版发行　**生活·讀書·新知** 三联书店
　　　　　（北京市东城区美术馆东街 22 号）
邮　　编　100010
经　　销　新华书店
印　　刷　北京鹏润伟业印刷有限公司
版　　次　2010 年 1 月北京第 1 版
　　　　　2012 年 10 月北京第 2 次印刷
开　　本　787 毫米×1092 毫米 1/32　印张 7.25
字　　数　120 千字
印　　数　10,001－15,000 册
定　　价　25.00 元